Aprender *del* corazón

Lecciones sobre la vida, el amor y la capacidad de escuchar

DANIEL GOTTLIEB

everest

Este libro ha sido negociado a través de Ute Körner Literary Agent, S.L., Barcelona
-www.uklitag.com

Título original: *Learning from the Heart. Lessons on Living, Loving, and Listening*
Traducción: Alberto Jiménez Rioja

Los beneficios de esta obra se donarán a organizaciones benéficas para niños.
Autor y editor agradecen el permiso para citar:

"Fearing Paris", de Marsha Truman Cooper, aparecido en *River City* y reeditado en
Substantial Holdings, de Pudding House, 2002.

"Mother Knows Best", extraído de *Wounded Healers* (p. 41), de Rachel Naomi Remen,
doctora en medicina, publicado por Wounded Healer Press copyright © 1994 de Rachel
Naomi Remen, con el amable permiso de la autora.

Versos de *The Prophet*, de Kahlil Gibran, copyright © 1923 de Kahlil Gibran; renovado en
1951 por Administrators C.T.A. de Kahlil Gibran Estate y Mary G. Gibran, reproducido
con el permiso de Alfred A. Knopf, sección de Random House, Inc.

"Love after Love", extraído de *Collected Poems 1948-1984*, de Derek Walcott, copyright ©
1986 de Derek Walcott, reimpreso con el permiso de Farrar, Straus and Giroux, LLC.

Copyright © 2008 de Daniel Gottlieb
La publicación de la edición española nace del acuerdo efectuado con Sterling
Publishing, 387 Park Avenue South, New York, NY 100016-8810, USA

EDITORIAL EVEREST, S. A.
Carretera León-La Coruña, km 5 - LEÓN
ISBN: 978-84-441-2072-0
Depósito Legal: LE: 1282-2009
Printed in Spain - Impreso en España

EDITORIAL EVERGRÁFICAS, S. L.
Carretera León-La Coruña, km 5
LEÓN (ESPAÑA)

www.everest.es
Atención al cliente: 902 123 400

Dedicatoria

Dedico este libro a mis preciosas hijas, Alison y Debra.

Cuando nacisteis, mi corazón se abrió a una vida de amor y entrega.

Os he visto gatear y andar, enamoraros y rebelaros. Os he visto haceros daño y sufrir... y luego sanar. He visto con deleite y asombro el desarrollo de vuestros cuerpos, vuestras mentes y vuestras almas.

Ahora veo que amáis a los que amáis con ternura y compasión, que os consagráis a hacer un mundo más justo para quienes necesitan justicia.

Nos hemos dado infinidad de cosas buenas, infinidad de amor. Ayer vuestras vidas estaban en mis manos, y eso me llenaba de júbilo. Mañana la mía estará en las vuestras, y eso me llena de paz.

"Nos daremos cuenta de que creerse diferentes es una ilusión".
Thich Nhat Hanh

ÍNDICE

INTRODUCCIÓN

El 20 de diciembre de 1979 fue un día frío y despejado que empezó como cualquier otro. Yo era un psicólogo de treinta y tres años que se desenvolvía bien como director de un programa de apoyo a pacientes externos que habían sufrido maltrato. Tenía la suerte de gozar de una bella esposa y dos hijitas que acababan de empezar el colegio. Tras despedirme de mi familia a las siete y media de la mañana, crucé el césped helado y subí a mi Dodge Dart. Aún oigo el crujido del césped bajo mis pies; lo recuerdo porque esos fueron los últimos pasos que di. Una hora después, mientras conducía por la autopista de Pensilvania, alcé la vista a tiempo de ver cómo un inmenso objeto negro se precipitaba sobre mi parabrisas. Solo recuerdo que, a continuación, al despertarme en el hospital Ephrata, me enteré de que era tetrapléjico.

Por supuesto, experimenté todas las emociones que siente la gente después de un trauma: shock, dolor, rabia y, no hace falta decirlo, pavor. Sin embargo, a posteriori, lo más doloroso, lo más aterrador, fue sentirme desconectado de mis semejantes, de los otros seres humanos. En las semanas siguientes empecé a preguntarme qué significaba en realidad ser humano. ¿Podía serlo si no era capaz de levantarme por mis propios medios? ¿Si no podía hacer el amor con mi esposa nunca más, si ni siquiera podría bailar con ella? ¿Era humano si mi vida dependía de enfermeras y tratamientos, era humano si tenía que pasarme la vida en una silla de ruedas?

Para lidiar con ese atroz sentimiento de alienación empecé a fijarme en lo que hacemos los seres humanos (los demás y yo); en cómo actuamos y reaccionamos, en cómo funcionan los sentimientos y cómo se relacionan los pensamientos y las emociones. Me limité a fijarme, sin juzgar ni analizar. Necesitaba hacerlo para comprender qué significa en realidad ser humano y para convencerme a mí mismo de que seguía siéndolo. A pesar de eso, muy en el fondo sabía que, aunque siguiera formando parte de la raza humana, de ahí en adelante sería un humano distinto.

Mientras yacía en la cama del hospital reparé en que la mayoría de la gente, médicos incluidos, parecían incómodos cuando estaban conmigo. Me daba cuenta porque al hablarme alzaban la voz, o evitaban mirarme a los ojos, o hablaban a todo correr. Percibía su inquietud cuando intentaban convencerme de que ser tetrapléjico no era lo que yo pensaba.

Así advertí que los seres humanos se angustian cuando se enfrentan con algo o alguien poco corriente. Hacen infinidad de cosas para gestionar su desasosiego y su ansiedad: algunos intentaban animarme, otros trataban de convencerme (y de convencerse a sí mismos) de que aquello no era tan malo como yo creía y, unos pocos (como mi íntimo amigo)

optaron por desaparecer, por quitarse de en medio. Pero a todos les pasaba igual: intentaban huir de la angustia. Eso hacemos los seres humanos.

Cuando me encontraba con esas personas, percibía que la ansiedad cerraba sus corazones. La ansiedad tiende a cerrarnos el corazón, la mente y hasta los ojos. Eso me parecía muy humano, puesto que las personas con ansiedad sufren, y todos preferimos evitar el sufrimiento si podemos. Al mirar en mi interior, noté que la ansiedad es contagiosa. Cuando estaba con gente angustiada, me cerraba. Me daba por llevarles la contraria o por darles la razón sin escucharlos de verdad. Pero aunque no escuchara, sentía. Y si intentaban "animarme" solía sentirme solo, incomprendido y aterrado.

Recuerdo que unos seis meses después del accidente, mientras estaba sentado en la sección de terapia ocupacional, sentí una inmensa desesperanza al mirar la pared verde oliva. Dije sin dirigirme a nadie en concreto:

–Quién iba a pensar que vendría a morirme a un sitio así.

Mi terapeuta, sentada por allí cerca, contestó de inmediato:

–No, Dan, aquí no has venido para morir; has venido para vivir.

En cierto sentido tenía razón, por supuesto, pero yo también. Era consciente de que debía lidiar con la muerte antes de enfrentarme a la vida, pero gracias a su contestación me sentí más solo y más incomprendido.

Sin embargo, había ciertas personas que no sentían ansiedad en mi presencia. Nunca entendí el motivo, ya que no estaba muy por la labor de entender nada; estaba por la labor de observar. Esas personas me preguntaban por mí y escuchaban, y me hablaban de sí mismos. Sentía que su único objetivo era estar conmigo, que no necesitaban cambiar nada. En su compañía, me sentía seguro y relajado. Me sentía menos solo.

Por último había una tercera clase de personas que sentían ansiedad, pero *lo sabían* y me lo contaban, y eran capaces de estar a gusto consigo mismas. También con ellas me sentía seguro, pero surgía una dimensión nueva: cuando me hablaban de la angustia y el dolor que les causaba mi accidente, yo experimentaba por ellos un profundo amor y una gran compasión. A veces los abrazaba para consolarlos cuando lloraban por lo que me había ocurrido.

Ante una tragedia inesperada, los humanos reaccionan de maneras muy diferentes, y esas reacciones obtienen respuestas muy distintas. Si los humanos que me rodeaban estaban angustiados, yo me angustiaba; si eran abiertos y me alentaban, me sentía seguro; si estaban muy afectados, quien los alentaba era yo y todos nos sentíamos mejor.

En aquellos días empecé a comprender que las emociones son contagiosas, incluso las que no percibes.

LO QUE HE APRENDIDO
SOBRE EL AMOR

*"El amor cura, tanto a quien lo da
como a quien lo recibe".*
Dr. Karl Menninger

En la película *El Clan Ya-Ya*, un padre, interpretado por James Garner, pasea con su hija, interpretada por Sandra Bullock, y ella le plantea la siguiente cuestión: "Papá, ¿te has sentido suficientemente amado en la vida?".

Esas palabras manifiestan los deseos insatisfechos de una niña. En la película, su madre es un personaje emocional y egocéntrico que no tiene capacidad para amar a su hija como es debido. La joven, lastrada por esa carencia, está llena de resentimiento y de ira, motivo por el que su pregunta resulta tan conmovedora.

En cuanto al padre, es obvio que tampoco ha recibido suficiente amor. Pero... aún así, allí está, paseando codo con codo con una hija a la que ama de verdad, y queda claro que es feliz. Es un tópico de Hollywood. Pero a mí se me ocurrió que la joven no formulaba la pregunta correcta. No se trataba de si había recibido o no suficiente amor. La pregunta hubiera debido ser: "Papá, ¿*has amado* lo suficiente?".

Creo que también los Beatles se equivocaban cuando decían: "Lo único que necesitas es amor". Sin embargo, Andrew Lloyd Webber dio en el clavo al afirmar: "El amor lo cambia todo". Lo mires por donde lo mires, ya sea correspondido o no, lo cambia todo. Y ninguno es tan profundo, tan cálido y tan puro como el amor desinteresado.

El mejor ejemplo de ese amor es el que sentimos al ver a nuestros hijos por primera vez. Nuestro corazón se abre por completo; da la impresión de que todo el amor que hemos sentido y todo el amor que sentiremos, nos asalta en ese preciso instante. Casi todos los padres, en ese momento, hacen la solemne promesa de amar y proteger siempre a sus hijos.

Esa promesa es la que nos complica la vida pues, a causa del deseo natural de protección, desarrollamos ansiedad. Estamos pendientes de los peligros potenciales del entorno y, a veces, hasta del menor movimiento de nuestros hijos. Ese cambio de actitud se debe a nuestra capacidad de adaptación, sin la cual los niños no sobrevivirían. Nos preocupamos porque los adoramos pero, al preocuparnos, no sentimos esa adoración. Y la cosa sigue: cuanto más crecen, más ansiedad sentimos y más disminuye nuestra capacidad de sentir ese inmenso y desinteresado amor. Sigue existiendo, pero no accedemos a él con tanta facilidad.

Es extraño que el amor permanezca puro y desinteresado. A veces, al pensar en los que amamos, nos preocupa que no nos quieran tanto como nosotros a ellos; eso o si son felices. Solemos creer que nuestra ansiedad es una forma de "cuidar de ellos" o que intentamos que cambien "por su bien". Pero tratar de que no sientan lo que sienten o de cambiarlos "por su bien", no es amor: es ansiedad. Es el tipo de ansiedad que nos impulsa a transformar las cosas para sentirnos mejor. He visto a mucha gente que intentaba cambiar a su pareja para recobrar la sensación inicial de confianza y adoración.

Estoy seguro de que hay tantas descripciones del amor como seres humanos que tratan de describirlo. El doctor Stephen Post, presidente del Instituto para la Investigación del Amor Ilimitado de la Case Western Reserve University, describe el amor altruista como amor por la humanidad sin excepciones, de abnegación y entrega perdurables. Este amor es un acto desinteresado de generosidad espiritual que a veces se convierte en una forma de ser. En algunos momentos he sentido un amor que no requería de acción en absoluto. No era amor por alguien, ni por algo. En cambio, hay momentos en que siento que *mi ser* es amado.

Por supuesto que esa sensación de *ser amado* no dura mucho para ninguno de nosotros. No creo que fuera posible sin varias vidas de práctica. Pero si tenemos suerte, hay ocasiones en que sí lo experimentamos.

Una mañana de primavera, no hace mucho, mi hija Ali me llamó por teléfono. Llevaba varias semanas con dolor de cuello. Cuando dijo que era un dolor fuerte y que le bajaba por el brazo, me asusté. Luego me contó que se había hecho una resonancia magnética y le habían descubierto una rotura de disco entre las vértebras cervicales quinta y sexta. Eso me puso los nervios de punta, porque mi médula espinal está seccionada entre las vértebras quinta y sexta. Por último me dijo que su neurocirujano quería operarla enseguida.

Yo hice lo que mejor se me da: decirle lo preocupado que estaba y pedirle permiso para recabar una segunda opinión. Aunque ella confiaba en su médico, le pareció bien. Rebosando adrenalina, llamé a todos mis amigos médicos quienes, a su vez, llamaron a todos sus amigos neurólogos/neurocirujanos. En un par de días disponía de varias opiniones, todas coincidentes con la primera. Había que operar de inmediato.

Cuando hablamos de nuevo por teléfono, dijo que llamaría a su médico para operarse al día siguiente. En plena conversación comentó si le convendría hacer "algún tipo de testamento". Le contesté con naturalidad que quizá fuese buena idea. No pensé mucho en ello, pues tuve que prepararlo todo para salir de viaje por la mañana temprano hacia un hospital del estado de Nueva York.

A la mañana siguiente me encontré allí con Ali. Su compañero, Geoffrey, estaba sentado junto a ella. Mi hija parecía amedrentada; cuando se acercaba la hora de la operación, empezó a llorar. Geoffrey y yo le hicimos compañía todo el tiempo que nos permitieron. Yo no sentía mis propias emociones porque estaba pendiente de mi niña. Dos horas después el doctor nos dio la maravillosa noticia: todo había ido perfectamente y el dolor disminuiría enseguida. Sin embargo, yo no experimenté el inmenso alivio que creí que sentiría; solo me encontraba amodorrado.

Varias horas más tarde Ali estaba sentada en una silla de su habitación; Geoffrey, a su lado, le cogía la mano. La escena era verdaderamente asombrosa, infinitamente mejor de lo que me esperaba, pero seguía sin sentir un inmenso alivio.

Al día siguiente Ali había recuperado casi toda la fuerza del brazo, así que le dieron el alta. Mientras estábamos en el vestíbulo aguardando a que Geoffrey trajera el coche, ella me miró y dijo:

—He pasado mucho miedo. Creí que no salía de esta. ¿Y tú?

Yo le dije lo que creía que era cierto:

—No se me ha pasado por la cabeza que fueras a morirte, ni siquiera que pudieras quedarte parapléjica. Lo que me daba miedo era que se te paralizara el brazo.

Poco después nos dábamos un beso de despedida. Ali montó en el coche de Geoffrey, yo en mi furgoneta. Todos volvimos a nuestras respectivas casas.

En las horas posteriores le estuve dando vueltas a nuestra última conversación y empecé a sentir náuseas y un gran desasosiego. Entonces recordé que cuarenta y ocho horas antes Ali y yo estábamos hablando de hacer testamento. Entonces no pensé que podía perder a mi hija, pero mi cuerpo sí. Estaba aterrado, pero no sentía mis sentimientos. No solo porque me desbordaban, sino porque tenía cosas que hacer; pero ellos estaban ahí.

En la tarde del día siguiente a la operación sentí una angustia espantosa. Experimentaba el pánico, el terror y la impotencia que mi cuerpo había sentido cuarenta y ocho horas antes. Y lo detestaba. Hubiera dado cualquier cosa por evitar esas emociones, pero ellas encontraban el modo de asaltar mi consciencia, causándome un dolor emocional insoportable. Mi instinto me impulsaba a hacer todo lo posible para devolverlas al subsuelo. Esa noche no dormí bien y después pasé otro par de días malos. No me gustó experimentar ese dolor, pero me alegré de haberlo sentido.

Varias semanas después invité a mi amiga Kim por Pascua. Nos encontramos con Ali y Geoffrey, que venían desde la casa que comparten en Jersey con su perro de tres patas, Marley. Era la primera vez que veía a mi hija tras la operación y me quedé encantado. Estaba rígida y no podía mover el cuello, pero rebosaba energía y animación. También fueron los padres de Geoffrey; mi hija Debbie con su marido, Pat; y mi nieto, Sam, que a sus siete años, edad en que yo me enamoré del béisbol, estaba aprendiendo a jugar; y se le daba bien. Así que, después de cenar, Sam, Pat, Geoffrey y su padre salieron al patio para jugar un partido mientras los demás mirábamos desde el porche. Sam era el bateador. Pat, su padre, que estaba tras él, el catcher. Geoffrey hacía de pitcher y su padre jugaba en el campo.

Desde el porche oíamos que Pat le decía a Sam:

—¡Pon cara de "juego", Sam!

Sam puso una cara muy seria, y yo le grité:

—¡Sam, eso no es cara de juego! ¡Es de hacer caca!

Todos se rieron, los cuatro jugadores volvieron a lo suyo, los del porche empezamos a hablar y…

Hubo un momento en que fui consciente de todo, en que percibí su tremenda fragilidad. Ali se levanta un día con dolor de cuello y todo cambia. A Debbie le duele la espalda. Yo veo un objeto negro en el cielo. O mañana me levanto con fiebre…

Al darme cuenta de la fragilidad de la vida, aquel momento me pareció perfecto. Me sentí enormemente agradecido. Sentí amor.

Parece ser que cuanto más nos dejamos llevar, más sentimos el amor. El amor está por encima de todo: la ansiedad, el deseo, la esperanza, el resentimiento. El amor es desinteresado, no exige nada, no precisa nada. Es más fácil que nos visite cuando nuestros anhelos se acallan, cuando no necesitamos ni pretendemos gran cosa, cuando reconocemos que todo lo que amamos es temporal pero está con nosotros en ese preciso instante.

Y, A TODO ESTO, ¿QUIÉN ME CREO QUE SOY?

Cuando Marley, el adorado perro de tres patas de Ali, asiste a una reunión familiar, se le trata con tanto respeto como a un humano. Y en muchos sentidos, parece tan humano como el que más. Pero yo sentí que Marley no era consciente de que le faltaba algo. Sí, tenía tres patas en lugar de cuatro, pero le daba igual.

No le importaba en absoluto haber perdido una. Cuando Ali lo sacaba de paseo, la gente reaccionaba de forma previsible. Tendían a sentir pena (sobre todo los niños) y querían saber qué le había pasado, cómo había perdido la pata. Pero tras observar al perro unos minutos caían en la cuenta de que a él no le importaba. Ni a Ali tampoco.

Ali dice que Marley le recuerda a mí.

Yo considero que perder una pata y romperse el cuello son heridas narcisistas. Adviértase, no obstante, que los animales y los humanos reaccionan de forma muy distinta a dichas afrentas corporales. Los humanos tenemos una autoimagen, una imagen de cómo creemos que deben ser nuestras vidas. Si perdemos una pierna o nos rompemos el cuello, la autoimagen cambia. Los animales no tienen ese sentido "de sí mismos". Para ellos, las lesiones carecen de significado. Por supuesto saben si algo les duele o no les duele, y prefieren que no les duela, pero como no tienen ego, las mutilaciones o las incapacidades son simples hechos.

No quiero dar la impresión de que envidio a Marley, pero creo que vivir sin autoimagen, sin ego, es muy distinto a lo que experimentamos los humanos. Al observar a los perros deduje lo siguiente: aman la vida sin reservas. A nosotros parece que nos gusta, pero casi ninguno somos conscientes del día a día. Da la impresión de que los perros saben que la vida es buena, y también saben qué es el amor altruista. Como carecen de ego, aman el amor. Cuando nosotros amamos, solemos resistirnos a abrir nuestros corazones. El ego se pregunta: "¿Me harán daño? ¿Me corresponderán? ¿Satisfarán mis deseos o acabarán abandonándome?". Los perros no se hacen esas preguntas. Se limitan a amar.

Además, la muerte tampoco les quita el sueño. Aman la vida sin temer a la muerte. Para nosotros es un problema porque representa la última afrenta al narcisismo. "¿Pero cómo me voy a morir yo? ¿Cómo va a arreglárselas el mundo sin mí? ¿Cómo va a seguir girando sin mi presencia?".

La muerte es soez pero, para Marley y sus hermanos, perder la vida es como perder una pata.

Una faceta del ser humano consiste en desarrollar una identidad. A la temprana edad de tres años los niños llegan a un estadio en que empiezan a separarse de los padres. Lo típico es que corran un poco, se paren y miren hacia atrás para ver si los persiguen. Eso es solo el principio, claro. Lo que hacen realmente es iniciar la construcción de una identidad.

Y seguimos haciéndolo toda la vida: "¿Quién soy yo? ¿Quién se supone que seré? ¿Quién debería ser?".

¿Cómo se puede contestar a esas preguntas en un mundo que nos dice: "Sé todo lo que puedas ser"? (o, como decía un anuncio que vi hace poco: "¡Lo bueno ya no basta!"). ¿Cómo hallar esa identidad en un mundo que se empeña en que tu identidad depende de tus logros, de tu belleza, de tu poder, de tu juventud?

Mientras la gente se parte el alma para convertirse en quien cree que *debería* ser... y se la parte aún más para no convertirse en quien teme *llegar a* ser, la búsqueda de la identidad prosigue... y prosigue... y prosigue.

Y lo divertido es esto: la identidad no existe. Trabajamos con denuedo para conseguirla, pero es imaginaria. Tener una identidad es como tener un puñado de agua: en cuanto crees que aferras algo, se te escurre entre los dedos.

¿Quién eres en este momento? Un lector; un intelectual y un explorador. En este momento. ¿Qué más eres ahora? Tal vez alguien que busque datos que le confirmen la ilusión de una identidad, de un sistema de creencias. Si encuentras eso en este libro, quizá te parezca bueno.

Pero todas esas etiquetas cambian si te dedicas a otra cosa, o piensas en otra cosa, o estás en otro sitio. Todo cambia, y ese todo te incluye a ti. No obstante, nos parece necesario buscar nuestra identidad. Hemos de saber lo que nos hiere y lo que nos cura. Necesitamos hallar las fronteras dónde acaba y comienza nuestro poder. Y eso es salir corriendo, mirar atrás y echar a correr de nuevo (los psicólogos lo denominan *aproximación*).

Aprender que puede prescindirse de la identidad debería formar parte del proceso de maduración. Es entonces cuando nos percataríamos de que el pronombre "yo" está escrito con tinta invisible.

La gente me presenta como psicólogo y terapeuta y escritor y padre y tetrapléjico y demás, pero *quien soy* en realidad es un ser que respira, que siente miedo y nostalgia y amor y deseo y odio y repulsión y vergüenza. Y todo es agua que se me escapa entre los dedos. Tras reconocer mi irrelevancia siento miedo, después tristeza y después paz.

Rainer Maria Rilke dice en uno de sus poemas: "Soy demasiado insignificante en el mundo y, sin embargo, no lo suficiente para ser ante Ti solo objeto, una cosa oscura, inteligente". ¿Cómo vivir sin ser tan grandes como creemos que deberíamos ser, sin profundos anclajes que nos retengan? ¿Quiénes somos sin las etiquetas de "padre" o "bueno" o "entregado y amante" o "bravucón y tozudo"? ¿Cómo vivir sin una identidad a la que agarrarnos?

Marley sabe cómo.

He trabajado durante años con mucha gente que ha padecido una amplia gama de enfermedades. Algunos que sufrían dolencias relativamente leves acababan deshechos; otros con trastornos devastadores lo llevaban bastante bien. En un par de parejas (sobre las que he escrito en ocasiones anteriores) se ponía de manifiesto claramente esta dinámica; al tratarlas a la vez, aprendí una lección que no olvidaré nunca. Ambas lidiaban con la tetraplejia. Los miembros de la primera tenían veinte y pocos años y se habían casado recientemente. Eran dos personas en proceso de construir su identidad: estudiando, pensando en crear una familia. El joven se preparaba para ser policía cuando un accidente de coche lo dejó tetrapléjico. La pareja estaba rota. El chico se convirtió en un amargado; su joven esposa sufrió una grave depresión. La relación se rompió.

Ese mismo año trabajé con un matrimonio de sesentones que llevaban casados cerca de cuarenta años. El marido se rompió el cuello cuando el camión que conducía en una obra volcó. Dio la casualidad de que su fractura estaba en el mismo sitio que la del joven, por lo que sus tetraplejias eran idénticas.

Mi terapia con la pareja de más edad solo duró unas sesiones. Querían saber cómo hacer el amor. La mujer me preguntó si podía dejar solo a su marido mientras hacía la compra. Habló de que se sentía culpable si iba al cine con sus amigas. Les indiqué algunos de los pasos que debían dar para llevar mejor, en el sentido práctico, la tetraplejia.

Y eso fue todo. En unas cuantas sesiones habíamos terminado.

Para la pareja mayor, el accidente fue un acontecimiento más de sus vidas; ni los cambió a ellos ni cambió el amor que se profesaban. A los jóvenes les destrozó la vida. Ambas parejas se enfrentaban al mismo suceso y a los mismos cambios físicos, pero la tetraplejia era diametralmente opuesta para cada una de ellas.

Sin embargo, no podemos afirmar que una pareja sea fuerte y otra débil; ni siquiera que una de ellas tenga más capacidad de adaptación que la otra. La diferencia estriba en el tamaño y la forma del "yo". Para la pareja de más edad, como para la mayoría de la gente sabia, el "yo" es más pequeño y más difuminado; y el accidente es tan solo un suceso más de su vida.

Pues yo sigo en mis trece

Anne, una mujer de cuarenta y tantos años, vino a verme durante una época difícil. Dijo que se sentía como si hubiera malgastado los primeros veinte o treinta años de su vida intentando trepar a la copa de un árbol.

–Bueno, pues lo conseguí –dijo Ann–, pero creo que me equivoqué de árbol.

Yo le pregunté por qué necesitaba terapia.

–Me he dado cuenta de que estoy volviendo a trepar –contestó–, y esta vez quiero asegurarme de que el árbol es el adecuado.

Yo le pregunté:

–¿Y por qué trepa?

Cuando profundizamos en el tema, descubrimos su teoría:

–Si trepo... y si trepo al árbol debido... seré feliz.

Así que buscaba otro árbol, pero la teoría continuaba siendo la misma. Estaba convencida de que encontrando el árbol o la escalera o el camino adecuados encontraría la felicidad.

Mi teoría es que casi todo el mundo alberga teorías sin saberlo: "Si adelgazara, me gustaría más". "Si mi marido/ mujer cambiara, mi vida familiar sería estupenda". "Si me dieran el ascenso, todo iría bien". "Si mi hijo/hija fuese a

Harvard, tendría todas las ventajas que yo no he tenido". "Si alternase con triunfadores, sería un triunfador".

Y también las hay negativas: "Si no acabo el trabajo, me despedirán". "Si no ganamos más, no podremos pagar las facturas y...".

Estas teorías son siempre erróneas. No digo que lo erróneo sea tenerlas, eso nos pasa a todos, lo que digo es que son solo teorías. A veces nos las inventamos, pero es más frecuente que nos las trasmitan nuestros padres o nuestra religión, y a veces dependen de las modas. Dichas teorías pueden estructurar nuestras vidas y ayudarnos a reducir nuestra ansiedad, pero incluso cuando no funcionan, la gente se resiste a cambiarlas. Se limitan a empecinarse en las antiguas, y esas casi siempre hacen que nos atasquemos.

Entonces ¿cómo nos desatascamos?

Siempre que me angustio o siento mucha ansiedad en relación a un acontecimiento futuro, me imagino lo peor que podría pasar. Y después imagino la forma de vivir con ello. Una vez, cuando el director del *Philadelphia Inquirer* criticó duramente una de mis columnas, sentí una angustia y una vergüenza espantosas. Por eso me puse en lo peor e imaginé que o me despedían o renunciaba a un trabajo que me encantaba. En los días siguientes me dediqué a vivir como si no fuera ya un columnista. Como es lógico, el miedo disminuyó con sorprendente rapidez.

Antes de mis operaciones, solía preguntarme: "¿Cuál es el resultado que más temo?". Es inevitable que ese miedo preoperatorio se deba al miedo a morir, así que pasaba un rato imaginándome cómo serían las vidas de mis hijas sin mí. Pues cuando pasaba un tiempo con mi pesadilla en vez de ignorarla, la ansiedad se esfumaba.

Cuando a mi nieto Sam le diagnosticaron autismo, empecé a pensar en cómo sería verle sufrir los síntomas más graves y en cómo sería la vida para él, para sus padres y para mí. Ahora, cuando tengo pacientes que me dicen: "Yo no podría vivir sin…", les animo a terminar la frase. ¿Y si tu teoría es incorrecta? ¿Y si resulta que sí puedes vivir sin eso que tan imprescindible te parece?

John, un hombre de mediana edad con quien he trabajado, se crió en una familia numerosa con un padre imprevisible y alcohólico. Al crecer, empezó a pensar que era responsabilidad suya mantener unida a la familia. Si él "no se encargaba" de ser el cuidador y el conciliador familiar (esa era su teoría), "todo se iría a pique". Y eso trató de hacer. Cuidó de sus hermanos, de sus sobrinos, de sus padres cuando envejecieron. Se aferró a la teoría de que él era el *único*. Debía hacerlo… ¡si no…! Y, desde luego, organizó su vida en función de esa teoría que no le dejaba dormir por las noches ni descansar de día, porque viajaba continuamente para cuidarlos a todos.

Cuando John vino a verme, estaba deprimido. Su matrimonio y su salud peligraban. Al hablar con él advertí que no era consciente de su teoría, pues la consideraba una verdad irrefutable.

Por eso le pedí que se imaginara lo peor: que su familia se iba a pique. Lo hizo. Y supuso que un hermano acabaría muerto, otro hospitalizado y el último se aislaría tanto que no volvería a dirigirles la palabra. Estuvimos sentados un rato examinando cómo sería su vida cotidiana si pasaba tal cosa.

La pesadilla de John se volvió más soportable. No placentera, solo soportable, pero eso le dio el valor necesario para reexaminarla. Si era capaz de vivir pensando que su familia podía irse a pique, ¿sería capaz de arriesgarse y considerar que lo mismo no se iba?

Eso es lo más difícil de este asunto de las teorías. Nos aferramos a ellas porque es lo único que tenemos. Creemos que para librarnos de una cosa necesitamos un acto de fe: confiar en algo incognoscible. Y yo creo que todos deberíamos aplicarnos a la tarea de tener fe en nuestra capacidad de adaptación. Cuando lo consigues, te abres a muchas más posibilidades.

A propósito, durante mis sesiones con Anne, la que buscaba el árbol adecuado para trepar, descubrimos algo importante: Anne no buscaba la felicidad, trepaba porque era una escaladora, una exploradora, y siempre lo había sido. Cayó en la cuenta de que trepaba porque le encantaba descubrir y aprender. Cuando dejó de empecinarse en su teoría (lo de encontrar la felicidad en la copa de un árbol en concreto), dejó de calificarse de vencedora o fracasada. Cuando se dejó de juicios, su vida se convirtió en algo digno de ser experimentado sin necesidad de manipulación alguna.

Miedo a París
Marsha Truman Cooper

Supón que lo que temes
pudiera atraparse
y custodiarse en París.
Entonces encontrarías
el valor para ir
a cualquier lugar del mundo.
Todas las direcciones de la brújula
se abrirían ante ti,
salvo los grados a este u oeste
del verdadero norte
que conduce a París.
Pero, aunque no te atrevas
a pisar las fronteras de la ciudad,
tampoco deseas quedarte en una colina
a millas de distancia
y mirar cómo crecen las luces de París
al caer la noche.
Solo para sentirte a salvo
te vas definitivamente de Francia.
Pero el peligro,
hasta de esas fronteras
parece cercano,
y sabes que la parte más huraña de ti
vagará de nuevo por el mundo.
Necesitas un amigo capaz de
adivinar tu secreto y decirte:
"Ve antes a París".

Vivir bajo la campana de Gauss

Voy a contar una historia que he contado antes y que fue una verdadera revelación para mí. La lección comenzó en tercer curso, pero no la entendí hasta bien entradito en la adultez.

En tercero, mi profesora, la señorita McNesbit, creó un sistema de reconocimiento de méritos reflejado en la distribución de sitios. El día que nos sabíamos la lección, trasladábamos nuestras sillas al frente de la clase; si no, retrocedíamos al fondo. O sea, que había un movimiento diario de sillas por toda la clase.

A lo largo del curso yo fui inconstante. Estaba un poco en el último asiento de la última fila y menos aún en el primer asiento de la primera. Pero a final de curso ocupaba el último sitio de la segunda fila: algo así como el sexagésimo lugar. Recuerdo que entonces pensé: "Si tuviera una semana más, estudiaría un montón y pasaría a la primera fila. Si no al primer sitio, cerca".

Tuve grabada aquella imagen durante veinte años, tras los cuales me había convertido en un joven profesional, muy bueno, que ayudaba a mucha gente, que gozaba del respeto de sus colegas y supervisores; pero seguía presionándome, seguía creyendo que no había dado todo de mí, y que trabajando más y logrando más cosas, sería capaz de llegar donde me correspondía. Entonces contaba veintiocho años… y, sí, recuerdo el momento exacto en que todo cambió.

Fui al médico a causa de unos fuertes dolores de estómago y, después de hacerme unas pruebas, me enteré de que debido al estrés presentaba los primeros síntomas de colitis. El médico me advirtió que si seguía trabajando a ese ritmo frenético sufriría trastornos muy serios. Esa noche volvía a casa realmente asustado. Al saber que mi ritmo de vida estaba perjudicando mi cuerpo, me preocupé por mi salud, sí, pero lo que más me preocupaba era la imposibilidad de seguir presionándome como hasta entonces.

Creo que mi mujer y mis hijas habían salido, porque recuerdo que vagué por la casa tratando de poner en orden mis pensamientos. Ahí me vino a la cabeza el último sitio de la segunda fila. Rememoré los niños que ocupaban esa fila, los que más me gustaban, y empecé a pensar: "¿Y si el lugar que me corresponde es ese último sitio de la segunda fila?".

Ellos estaban allí. Yo también. ¿Era acaso una vergüenza?

Nunca olvidaré esa sensación. Sentí… un alivio increíble. Me había costado mucho descubrir que no solo me correspondía el puesto sexagésimo, ¡sino que allí se estaba mejor! En el transcurso de los años he aprendido que los humanos solemos ser más felices estando donde nos corresponde que tratando de alcanzar algo que no está hecho para nosotros.

Muchos padres tienen pánico de que sus hijos sean nada más, y nada menos, que estudiantes medios, porque equiparan "medio" con "mediocre". Todos hacemos lo posible para que nuestros hijos no se sienten en el medio. No queremos que pertenezcan "solo" a la media.

Cuando estos días hablo con grupos de padres, suelo pedirles que hagan el favor de recordar la campana de Gauss.

–En esta habitación –les recuerdo–, como saben ustedes, estamos todos, salvo dos o tres excepciones, bajo el gran montículo.

Por el bien de esos niños que, como yo, están debajo de la campana de Gauss, solo espero que los progenitores acepten esta pequeña verdad: que allí, en las filas del medio, se está la mar de bien.

Por otra parte, ahora que he crecido un poco entiendo mejor que mis padres quisieran verme en el primer sitio de la primera fila. No perdían la esperanza de que saliera de esa campana. Les preocupaba lo que pudiera ocurrirme si resultaba que era solo normal y corriente.

No hay duda de que lo hacían con la mejor intención. Por eso se preocupan los padres. Queremos que nuestros hijos trabajen duro, mejoren, así que preparamos más actividades y cursos para llenar su "tiempo libre". Lo malo es que, al hacer eso, creamos un mundo en el cual los niños se encuentran bajo una tremenda presión, porque deben destacar en todo, todo el tiempo. Ya en la enseñanza media los alumnos empiezan a preparar su historial académico para la universidad. Cuando se empuja a los hijos a sobresalir, se les arrebata el derecho a experimentar las maravillosas lecciones que enseña el fracaso.

Yo he acabado por sentir una gratitud infinita hacia mis fallos. Desde luego, hay gente que no me cree cuando digo que me corresponde la última silla de la segunda fila. Rebaten mi postura recordándome los libros que he escrito y los muchos y extraordinarios logros que he tenido la fortuna de conseguir. Pero la vida me ha enseñado que aunque ciertos aspectos de Gottlieb (quizá mi amabilidad y mi capacidad para entender a los otros) corresponden a la primera fila, otros son propios de la última: carencia de habilidades técnicas o cierta falta de atención y de memoria (por citar algunas).

Es muy fácil guiar a nuestros hijos para trasformarlos en la clase de personas que queremos que sean. Solo necesitamos un poco de vista, un ligero análisis de nuestra propia experiencia, cierta vigilancia y nuestro don parental para la enseñanza. Pero ayudarlos a encontrar la alegría que supone descubrir qué lugar les corresponde en la vida, es harina de otro costal. Para eso necesitamos fe.

Cuando hablo de tener fe en nuestros hijos, no me refiero a fe en que no cometan fallos, porque los cometerán, ni me refiero a fe en que no tomen decisiones estúpidas, porque las tomarán. Me refiero a confiar en su flexibilidad.

¿De dónde sale esa flexibilidad?

Una vez, un paciente que trataba de bregar con la soledad hizo un comentario que no olvidaré nunca: "Me siento como si mi alma fuese un prisma y la gente que conozco sólo viera un color. El prisma entero no lo ve nadie".

En una carta a mi nieto, Sam, le conté la hermosa enseñanza judía sobre la marca que Dios otorga a los niños antes del nacimiento. Tras dar al no nacido la sabiduría que precisa para triunfar en la vida, le pone el dedo índice en los labios y dice: "Ssshhh". Y en ese momento, cuando estamos imbuidos de conocimiento, nos deja para siempre la huella de su dedo en el labio superior.

Entonces ¿de dónde sale esa flexibilidad? Del prisma. De esa sabiduría que nuestros hijos descubren cuando la necesitan. De la impronta sobre nuestros labios. Y en última instancia, del don mismo de la vida; nos herimos y nos curamos, es casi inevitable.

La capacidad de escuchar...
todo lo cura

Amy es una de mis mejores amigas; conozco y quiero a sus sobrinas, Chelsey y Katie, desde pequeñas. Cuando Chelsey tenía alrededor de cinco años y Katie casi doce, les encantaba ir de excursión en mi furgoneta. Se sentaban detrás y hablaban entre ellas mientras yo conducía. Hasta que llegábamos a nuestro destino, solían reservarse la opinión. Pero de vez en cuando una de las dos se arrancaba con una pregunta o hacía algún comentario.

En una ocasión, al pararnos en un semáforo, oí la vocecita de Chelsey procedente del fondo:

—Tío Danny, ¿qué es *practicar el sexo*?

Me callé como un muerto. ¡Eso debería preguntárselo a su tía Amy, no a mí! ¡No allí! ¡No en ese momento! Pero mientras mi cara enrojecía y mi cerebro trabajaba a toda marcha, pensé que yo era, al fin y al cabo, bastante ducho en esos temas. Veinte años antes había hablado de sexo con mis propias hijas; además, para aquellas niñas, encima de psicólogo era un buen amigo. Lo único que tenía que hacer para dar con la respuesta adecuada a la edad y la experiencia de Chelsey era considerar la psicología del desarrollo.

Respiré hondo, y con cierta inquietud y fingida confianza, anuncié:

–Practicar el sexo es lo que hacen los mayores para tener niños.

Me pareció una respuesta acertada y me sorprendió que fuese recibida con un largo silencio. Pensé que esa falta de reacción significaba que las de atrás estaban satisfechas. Por fin, fue Katie, la mayor, quien rompió el silencio:

–¿De qué estás hablando, tío Danny? Chelsey solo te ha preguntado: "¿Qué es *algo convexo*?".

–Ah –dije mientras sentía que la sangre se me apelotonaba en la cara transmitiendo mi profundo bochorno al mundo (o al menos al asiento de atrás).

Y entonces a Katie se le ocurrió que sería buena idea hurgar un poco en la herida:

–Tío Danny, ¿en qué estabas pensando?

De hecho, la pregunta de Katie era pertinente. Yo padecía de pérdida de audición, y no se debía a tapones. Estaba tan ensimismado cuando Chelsey me formuló la pregunta que no la oí bien. Los pensamientos interfieren de forma literal con la capacidad de audición. Las emociones como la ansiedad, la inseguridad, la depresión y la angustia también la afectan. Incluso las emociones positivas, como la alegría o la euforia, estorban. Cuando tal cosa ocurre, las posibilidades de escuchar con paciencia y atención disminuyen. En estos días, cuando hablo con niños sobre sus vidas, lo que más oigo es que se sienten incomprendidos porque no los escuchan.

Los adultos vivimos a toda prisa y estamos tan pendientes de nuestras preocupaciones e inseguridades que muchas veces ni siquiera escuchamos lo que nuestros hijos tratan de decirnos. Oímos las palabras, claro, pero solemos perdernos el significado. Un adolescente lo describió como "educación al vuelo".

Sé que mi propia ansiedad (que se remonta a los días de mis problemas escolares) me estorbaba al hablar con mis hijas. Cuando a una de ellas le fue mal durante un curso entero, se me dispararon todas las alarmas, porque recordé mi propia vergüenza e inseguridad en aquellos tiempos. Pensando que solo me movía la preocupación, la animé a estudiar más, le puse profesores particulares, y su madre y yo revisamos sus deberes con más ahínco incluso que de costumbre.

Me movía la preocupación, desde luego, pero la ansiedad respondía a mi pasado, no a su futuro.

He visto que muchos padres presionan implacablemente a sus hijos porque les asusta el futuro. Una adolescente me dijo una vez: "¿Por qué no confía mi madre en mí? Cuando llevo un notable a casa y le digo que he hecho todo lo que he podido, nunca me cree". Si yo hubiera controlado mi ansiedad por los problemas escolares de mi hija, quizá habría visto que era su lucha, no la mía. Quizá habría sido más compasivo. Quizá habría podido confiar en que le iría bien.

Por supuesto, lo de no escuchar también se da entre los adultos. "No me escucha" o "Es como hablar con una pared" son frases muy repetidas en mis talleres matrimoniales. En esos talleres, pido a maridos y esposas que me hablen sobre escuchar una voz distinta: la interior.

—Cuando habla usted consigo mismo, con su verdadero yo, ¿qué oye?

Hombres y mujeres responden de forma muy distinta. Casi todas las mujeres dicen que escuchan la voz pero no pueden contestarle. Muchas afirman que se sienten culpables o como unas egoístas, así que "guardan las distancias" con ella. Los hombres dicen saber que está ahí, pero que ya no la oyen.

¿Qué pasa cuando no oímos nuestra propia voz?

Un hombre que había sido abogado toda su vida me dijo:

—Se mire por donde se mire, soy un triunfador.

Había trabajado en un gran bufete, alcanzado sus objetivos y amasado una fortuna. Le pedí que me hablara de su vida. De pequeño, su padre le dijo que debía estar siempre en el cuadro de honor, cosa que hizo durante toda su etapa escolar y universitaria. Al acabar la carrera, azuzado por su padre, como siempre, empezó a trabajar en un importante bufete del que llegó a ser socio.

—Y aquí estoy —afirmó por último—, a punto de jubilarme y sin saber de quién es la vida que he vivido.

Este hombre silenció su voz propia, la interior. Nunca la escuchó, y ya no sabía ni por dónde andaba. Y eso es lo que pasa: si nos hacemos los sordos durante mucho tiempo, nuestra voz acaba por enmudecer.

Si queremos escuchar a nuestros hijos, debemos dedicar antes un tiempo a escucharnos a nosotros mismos. Solo entonces podremos escucharlos a ellos.

Mi mejor lección sobre la capacidad de escuchar la recibí en los días posteriores a mi accidente. Noté que cuanto más escuchaba, más gente hablaba conmigo. Y cuanto más me abrían ellos sus corazones, más profundamente me implicaba yo en sus problemas. Yo escuchaba de verdad y ellos hablaban de verdad. ¿Por qué ocurría? Bueno, porque además de haber perdido muchas de las funciones de mi cuerpo, "perdí" todos mis pronombres personales. Me importaban más ellos (es decir, los demás), su humanidad. No sentía el menor deseo de cambiar a nadie, solo el de escuchar y aprender. Y haciéndolo descubrí cómo interesarme en cuerpo y alma.

DE LA MANO DE MI MADRE

A las seis en punto de la mañana del día de Año Nuevo de 1998 oí la asustada voz de mi padre por teléfono:

–Danny, hemos tenido que ingresar a tu madre. Ven lo antes posible.

Mi madre no envejecía bien. Su fragilidad y su aturdimiento aumentaban día a día, y desde la muerte de mi hermana, dos años atrás, había empeorado considerablemente. Debido al deterioro de su corazón, supuse que pronto necesitaría cuidados las veinticuatro horas. Ella no quería soltar las llaves del coche ni nos permitía contratar a nadie para que la ayudara a bañarse y vestirse. A mi padre le agotaba estar pendiente de ella. Consideramos la posibilidad de meterla en una residencia, pero a todos nos pareció horrible.

Al llegar a urgencias, dos horas después de la llamada, encontré a mi padre llorando. Intentó decirme: "No corras", pero las lágrimas arrasaron sus palabras.

Después me contó lo ocurrido. Madre se había despertado en plena noche quejándose de dolor de estómago. Paseó por el piso un par de horas y luego se desmayó sobre el sofá. La ambulancia llegó enseguida, pero no pudieron hacer nada. Había sufrido un aneurisma y falleció poco después del ingreso.

La noche anterior, por lo visto, asistieron a una fiesta de Nochevieja con amigos. Mi madre le pidió a mi padre que bailara con ella. Era la primera vez que bailaban juntos en diez años.

En urgencias, una enfermera me recibió en la puerta y, tras darme el pésame, me preguntó si quería verla. Luego me condujo a un cubículo aislado y retiró la sábana que cubría su cara. Desde mi silla de ruedas, vi tan solo parte de sus rasgos. Eché un rápido vistazo a sus ojos cerrados y a sus labios inmóviles antes de dejar que mi mirada cayera sobre su paralizado tórax. Lo miré fijamente unos segundos... solo para asegurarme.

Supongo que no era consciente del paso del tiempo porque me sobresaltó la amable voz de la enfermera:

—¿Quiere que le acerque su mano?

Hasta ese momento, no hubiera podido imaginarme cogiéndole la mano a un cadáver. Pero aquello era distinto; aquella era mi madre.

Mientras contemplaba nuestras manos unidas, miré atrás, a nuestra vida en común. Las fotos antiguas de mi madre retrataban a una mujer atractiva, estilo Lana Turner. Tenía el pelo negro azabache, pero se lo teñía de forma regular (bueno, a partir de los setenta) y el cutis oscuro, mediterráneo. Rememoré el sempiterno brillo de sus ojos y la debilidad que parecía sentir por los niños peleones.

Había atraído a la gente como un imán durante toda su vida. En casa siempre había visitas y, fuera donde fuese, la gente no paraba de decirme la madre tan maravillosa que tenía.

Pero, la verdad, yo no lo veía así.

Era luchadora, pero gran parte de sus batallas las entablaba conmigo. Me apremiaba, me acuciaba, me fastidiaba y solía ridiculizarme delante de mis amigos. Y no siempre confiaba en mí. A veces creo que desconfiaba porque no me entendía, y otras pienso que desconfiaba porque me entendía demasiado bien.

Allí, de su mano, pensé en la clase de familia que había creado. Recordé lo poderosa que me parecía de pequeño. Después de todo, ella llevaba la familia, ayudaba a mi padre en la tienda de artículos militares, trabajaba como voluntaria en varias organizaciones y resolvía todos los problemas míos y de mi hermana. Y no se amilanaba por nada. Si uno de sus hijos necesitaba algo, ella se ocupaba de proporcionárselo. No se paraba ante nada.

Pero ¿había llegado a conocerla? Lo que me cegaba era que para mí no era una mujer ni una persona: era una madre. Como la esperanza nunca se pierde, siempre pensé que alguna vez me entendería, pero creo que no lo logró. No llegó a conocerme, en realidad, y yo no llegué a conocerla a ella.

¿Por qué peleaba contra mi madre? Debía ser, en parte, porque siempre me empujaba a ser distinto. Se empeñaba en que fuese mejor marido o tuviese más éxito o fuera más… lo que fuese. Y en última instancia sus deseos no se referían a mí, sino a ella misma. Recuerdo una conversación que mantuvimos un par de años antes de su muerte; hablando de mi estatus marital le dije:

—Mamá, quiero comunicarte una cosa: soy un hombre de cincuenta años y soy feliz. Vivo bien. Estoy satisfecho de mis logros. Tengo grandes amigos y he puesto en el mundo mi granito de arena. Quiero que sepas eso de tu hijo. Quiero que sepas que tú has contribuido a que lo lograra.

Su comentario fue:

—Vale, pero podrías ser más feliz.

Si hubiera sido más joven, me habría enfadado. ¡Seguía sin entenderme! Pero, en lugar de eso, me entristecí. Entonces supe que era ella quien no había sido feliz.

Durante todos esos años no nos entendimos porque intentábamos cambiarnos mutuamente. Ella trataba de convertirme en alguien más completo, más saludable, más felizmente casado. Yo trataba de convertirla en alguien más compasivo, tierno y perspicaz. Cada uno intentaba hacer del otro la persona que creía necesitar.

Por supuesto, ninguno de los dos teníamos ni idea de qué era lo que necesitábamos en realidad, y en nuestro empeño por cambiarlo todo, ambos salimos perjudicados. No nos vimos tal como éramos... hasta aquel día en que ella dejó de respirar y nos cogimos de la mano.

En ese momento, por primera vez, vi a mi madre como una mujer de su generación. Nacida en 1914, soñó siempre con ir a la universidad; consiguió incluso una beca, pero su familia la disuadió porque entonces las chicas no hacían esas cosas. A pesar de su descontento, se había forjado una vida digna y con significado.

Rememoré lo bien que había cuidado a su anciana y delicada madre, que vivía en casa. Me acordé de cómo insistía en que fuéramos todos los domingos a visitar a su suegra, que había enviudado y vivía sola. Me recordé a mí mismo que, a pesar de no poder permitírselo, había llevado a sus hijos a un colegio cuáquero privado porque vivíamos en una comunidad que se hacía antisemita por momentos.

Quiso proporcionarnos un buen comienzo. A base de ayudar a mi padre en la tienda, el negocio prosperó tanto que pudimos trasladarnos a un barrio de clase media.

Esa era la mujer que no fui capaz de ver, porque hasta entonces había sido simplemente mi madre, una madre que estaba lejos de ser perfecta.

Miraba las manos inmóviles de dos personas que se habían amado durante cincuenta y un años. Ella no podía ya estrechar la mía, yo no podía estrechar la suya. Y solo entonces la vi de otra manera.

Solo entonces caí en la cuenta de que siempre que se peleaba *conmigo*, se peleaba *por mí*.

En mi primer curso de instituto saqué notables y sobresalientes salvo en una cosa: aprobado en español. Fue un gran disgusto porque nunca antes había estado en el cuadro de honor. Ni siquiera me había acercado. Esa vez, estaba más que cerca. Yo sabía que mi profesor de español había sido injusto, porque en los parciales sacaba notables como mínimo.

Cuando lo discutí con él, reconoció su error y me puso un notable. ¡Por fin, conseguido! ¡Estaba en el cuadro de honor!

Tres semanas después me llamaron al despacho del director para tomar medidas disciplinarias contra mí.

El director me acusó de falsificar la nota. Yo le dije que era el profesor de español quien me la había cambiado y le expliqué exactamente cómo había ocurrido. No me creyó. Mi profesor se puso nervioso por el error cometido o quizá por no seguir el procedimiento establecido para cambiar la nota. Fuera cual fuese la razón, no se hizo responsable y dejó que el director creyera que era culpa mía.

Ante la amenaza de expulsión, llamé a mi madre todo lloroso. No confiaba mucho en su reacción. ¿A quién creería?

Mi madre llegó quince minutos después, y parecía enfadada... ¡pero no conmigo! Se encaró con el director, le miró fijamente a los ojos y le dijo que su hijo no haría algo así *jamás en la vida*. Conocía la historia y sabía que el profesor de español estaba mintiendo. Y añadió: "No va a expulsar a mi hijo por algo que no ha hecho".

De su mano, le di las gracias por todo aquello. Y ya no paré. Le agradecí que creara una familia en la que podíamos reírnos de nosotros mismos y de nuestros errores. Rememoré la seguridad que me daban sus manos cuando era pequeño. Y también cómo las rechacé a los cinco años, fingiendo ser más independiente de lo que era.

Qué difícil fue soltarse de su mano al volver al presente. Qué difícil es despedirse de alguien a quien se ha amado toda la vida.

Cuando me alejé de ella por última vez, recordé los cientos de relaciones que conocía en las que gente que se amaba era incapaz de ver claramente al otro. No podían sentir el afecto que habitaba en sus corazones, porque solo sentían resentimiento por las ofensas pasadas (y temor a las futuras) o por los años de frustración en que intentaron cambiarse mutuamente sin éxito. Me entristece ver que los que se aman sean incapaces de abrirse o, simplemente, de cogerse de la mano.

Conversaciones por la paz

Durante un acto para resaltar la necesidad de armonía en Oriente Medio, el cantor de nuestra sinagoga hizo un comentario sobre los árabes que me pareció racista. Indignado, escribí sobre el tema en un periódico local. Empecé el artículo con una vieja parábola judía de un hombre que hizo correr falsos rumores sobre su rabino. Decidido a reconocer su mala acción y a afrontar el castigo, el hombre visitó al rabino para preguntarle cómo podía enmendar el error.

—Lleva una almohada de plumas a lo alto de una colina y arroja al viento todas las plumas. Ven a verme de nuevo después de hacerlo —indicó el rabino; y, cuando el hombre regresó, dijo—: Ahora vuelve a la cima de la colina y recógelas todas.

—¡Eso es imposible! —protestó el hombre.

—Exactamente —replicó el rabino.

"Eso mismo hizo este cantor", dije en mi ensayo. "Hay cientos de oídos que han escuchado su comentario racista, y muchos de ellos pertenecen a nuestros hijos. Las plumas no pueden recogerse".

Antes de publicar el artículo, mandé una copia al cantor. Estuvimos dándole vueltas, nada hostil, solo un intercambio de correos electrónicos. Él no entendía nada, y yo no estaba de acuerdo en lo de que había malinterpretado su comentario.

El último correo se lo envié un viernes. Al final escribí: "Sabbath Shalom", deseándole paz para el Sabbath. Su contestación terminaba así: "A todos nosotros nos vendría bien un poco más de shalom". Percibí emoción humana en sus palabras, por lo que contesté a vuelta de correo: "¿Comemos juntos?".

Recibí un montón de cartas por mi artículo; casi todas negativas. Pero, entre ellas, había una de un rabino que decía: "Tiene razón en lo que dice, pero se equivoca al decirlo. Usted ha hecho lo mismo que el cantor: manchar su reputación ante la comunidad".

¿Llevaba razón el rabino? Creí que sí… y me sentí humillado.

Pocos días después de la publicación, el cantor y yo comimos juntos. Él me habló de su vida; yo le hablé de la mía. Me habló de cómo había sido criarse en un país árabe y de su deseo de convertirse en científico. Me enteré de la procedencia de sus valores y de por qué le gustaba ser solista del coro. Supe que lo más probable es que no pudiésemos ser amigos, pero también que jamás habría escrito un artículo como el que escribí de haberle considerado antes en su conjunto.

Reaccioné a sus palabras pero, hasta que no me senté con él y hablamos y nos escuchamos, *lo único* que conocía de él eran esas palabras, además del cuento que me conté a mí mismo sobre su persona.

¿La lección que aprendí? Si queremos paz no debemos limitarnos a hablar de la paz, debemos ser pacíficos. Si queremos que nuestros hijos sean abiertos y generosos cuando se enfrenten a sus semejantes, debemos servir de modelo para ello. Cuando me convertí en abogado de la paz enarbolando el puño, como hice en mi artículo, quise ocupar con egoísmo la tribuna de la justa indignación. Eso nunca abre los corazones de la gente: los cierra.

Todo empezó a cambiar cuando el cantor dijo "nosotros", abriendo así la puerta a una conversación entre dos. Meses después, al mirar atrás, vi que el mundo no había cambiado, mi vida tampoco y supongo que el cantor menos. Pero aprendí una valiosa lección, y veo con mejores ojos a un hombre al que juzgué severa y precipitadamente.

No hacer nada, para variar

Max, un sastre sesentón, seguía la misma rutina desde hacía cuarenta y cinco años. Todos los días se ponía la misma ropa raída y se iba a su tienda. De camino se detenía en la sinagoga para rezar. Después de una dura jornada de trabajo, volvía a casa y entregaba las ganancias a su esposa.

Solo tenía un pequeño vicio: se gastaba un dólar diario en un billete de lotería.

Y le tocó. Max llegó a casa con un cheque de un millón de dólares que, como siempre, entregó a su esposa. A la mañana siguiente se levantó, se puso su ropa raída y se preparó para ir al trabajo, pero su mujer le detuvo:

—Max, llevas trabajando como un burro toda la vida, disfruta ahora que puedes. Ve a comprarte un traje nuevo y date un buen masaje. ¡Cuídate!

Max, siempre diligente, obedeció de inmediato. Se dio un masaje corporal y otro facial, y gastó cientos de dólares en un flamante traje. Experimentó una transformación espectacular. Nadie hubiera dicho que se trataba del mismo hombre.

Al volver a casa cruzó la calle con la espalda erguida, sacando pecho, en el preciso momento en que pasaba un coche a toda velocidad: se llevó por delante al pobre Max.

Como había sido siempre tan bueno fue derechito al cielo, donde consiguió hablar con Dios en persona:

–Señor, solo quiero hacerte una pregunta. Toda la vida me he portado bien; siempre he sido el mismo Max y he vivido de la misma manera. Al final consigo convertirme en un tipo diferente y tú me lo arrebatas todo. ¿Por qué?

Tras reflexionar un instante, Dios contestó:

–Si te digo la verdad, Max, no tengo ni idea de quién eres.

Muchos vivimos nuestras vidas pensando que estaríamos satisfechos de nosotros mismos si… (basta con que llenes el espacio en blanco: ¿Si tuviera más dinero? ¿Si mis hijos fuesen más obedientes? ¿Si mi mujer fuera perfecta? ¿Si yo fuese más guapo/a?). Yo lo hacía. De hecho, fue una de las primeras cosas que advertí sobre los seres humanos.

He sentido que no era suficientemente bueno durante toda mi vida. Mi rendimiento escolar, como he dicho, no fue muy boyante, y ello me avergonzaba. Y no solo eso: era el hermano pequeño de una chica muy inteligente, muy atractiva y muy popular. Aunque también yo era bastante de lo último, siempre me veía más bajito que los demás… y eso me molestaba. Y respecto a mis puntos flacos como estudiante, los adultos se limitaban a decirme que era un poco vago. En el fondo, yo pensaba que debía de ser un poco tonto y que por eso no encajaba con mi superhermana ni mis superamigos. Me decía en secreto que si fuese más alto, más fuerte o más listo, me sentiría bien.

Después, cuando empecé a trabajar, me decía que si recibiera grandes cantidades de aclamación profesional, ganara una suma respetable o me casara con un bellezón, encajaría. Al cabo del tiempo, cuando conseguí todas esas cosas, seguía sintiendo que no encajaba. Así que me dediqué a trabajar con más ahínco aún.

Cuando me rompí el cuello –cuando me di cuenta de que, pasara lo que pasase, no encajaría jamás–, empecé a observar a la gente que parece encajar y a la que parece que no. Estaba tan desesperado y me sentía tan solo (como un niñito que hubiera perdido a su familia) que esperaba no ser el único que viviera la vida de aquella forma.

Lo que vi fue esto: la mayoría de la gente parecía actuar como yo había actuado, trabajaban como burros para ser distintos o ser mejores.

Pero, como el pobre Max comprobó en sus propias carnes, los cambios no siempre son para mejor. A veces el cambio más radical que podemos dar es *dejar* lo de intentar cambiarnos. En su libro *Radical Acceptance* la psicóloga Tara Brach describe una mujer madura, paciente suya, muy angustiada por la muerte de su madre. Cuando se acercaba el fin, la madre miró a su hija a los ojos y le dijo: "Siempre he sentido que había algo malo en mí. ¡Qué desperdicio!". Al relatarlo, Brach comenta: "Fue como si la madre hubiera ofrecido a su hija un último regalo".

He notado que casi todos los humanos intentan descubrir qué está mal para tratar de cambiarlo. Ya sea nuestro objetivo corregir lo que pensamos que debe corregirse, ocultar con maña un defecto, sentirnos seguros o encontrar un amor incondicional, casi todos nos esforzamos mucho para lograr el cambio. Y cuando no lo conseguimos, hacemos lo que yo: esforzarnos más.

Hace tiempo vi un paciente que llevaba dieciocho años de tratamiento. Tenia sesenta y cinco años y, cuando entró en mi consulta, parecía muy abatido.

–Me siento un fracasado como hombre y como paciente –dijo–. Cuando empecé la terapia, me consideraba insignificante para el mundo. Pero en la actualidad, después de tanto tiempo y tanto dinero, sigo considerándome igual de poca cosa.

En un alegre intento de ampliar su punto de vista, contesté:

–Tengo una noticia buena y otra mala. Usted no es ningún fracasado, pero sí es insignificante para el mundo.

Al principio se rio a carcajadas; luego se echó a llorar; después se rio de nuevo. Me dijo que lloraba por el tiempo perdido, y reía porque en el fondo era consciente de ser poca cosa; igual que yo de niño fui consciente, sin saberlo, de que no llegaría a encajar jamás.

Al tratar de cambiarnos, nuestra visión del mundo se estrecha. Cuanto más autocríticos nos volvemos, más nos ensimismamos. Pero los observadores que moran en nuestro cerebro no son objetivos ni compasivos. Suelen ser más bien sentenciosos, y no hacen más que recordarnos que podríamos mejorar. Así que nos criticamos, nos juzgamos, trabajamos más, dormimos menos o presionamos más a nuestros seres queridos… todo para sentirnos mejor.

¡La mayoría de mis conocidos dan por supuesto que el juez interior es infalible! Lo consideran el "ego ideal": la voz que nos dice cómo llegar a ser quienes deseamos ser. Otros la llaman conciencia. Casi todos creen que esa voz crítica está llena de poder y sabiduría.

Para mí es un poco distinta. He descubierto que no es la de un observador sabio, sino la de nuestra ansiedad y nuestra inseguridad diciéndonos que si somos diferentes, nos sentiremos seguros. Es la de un niñito aterrado que se dice: "Haz tal y cual... y todo irá bien". En vez de tomarte en serio esa voz crítica, trata de verla como una parte angustiada de tu personalidad; esa voz precisa que la tranquilicen y la consuelen, no que la obedezcan.

La verdad es que si comenzamos a sentirnos más cómodos con nosotros mismos y dejamos de pensar en lo que deberíamos ser, nuestra seguridad aumenta considerablemente.

Lo que nuestros hijos ven

Inevitablemente, cuando hablo con un grupo de padres, la conversación deriva hacia el estrés. La mayoría se dedica demasiado a sus hijos, para asegurarse de que sacan buenas notas y de llenar sus vidas con múltiples actividades. Además, casi todos se quejan de dormir poco y trabajar mucho. Cuando les pregunto por qué se esfuerzan tanto, la respuesta es siempre la misma: "Por los niños".

El problema es que muchos niños con los que hablo se sienten culpables por lo mucho que trabajan sus progenitores. Me dicen que tratan de hacerlo lo mejor posible para no estresarlos aún más. Es decir: he aquí dos generaciones sacrificándose la una por la otra.

A tenor de esta información, pregunto a los padres cómo se sienten con sus vidas. Al igual que sus hijos, la mayoría se queja. Algunos dicen que no duermen lo suficiente, otros que soportan muchas tensiones y demasiado estrés. Pero padres e hijos están convencidos de que si siguen así, "mañana" vivirán mejor.

Después hablamos de lo que ven nuestros hijos cuando nos miran. Nos transformamos en su visión del mañana. Y, por supuesto, eso no es lo que pretendemos la mayoría. Albergamos otros sueños para ellos: que vivan con holgura, paz, felicidad y serenidad. ¿Pero dónde van a encontrar esos modelos?

Hace varios años un padre me llamó para preguntarme si podía recibir a su hijo de veintitrés años, Dwight. El padre, Bernard, estaba preocupado porque Dwight empezaba una carrera y la dejaba, conseguía un trabajo y lo perdía. Bernard me dijo que su hijo parecía infeliz y desorientado. Yo le contesté que si Dwight quería ayuda, podía llamarme y concertar una cita conmigo. Varias horas después, el chico me llamó.

Al verlo entendí la preocupación de su padre. Más que deprimido, parecía vacío. Me dijo que no le satisfacía su vida ni sabía qué hacer con ella.

Su historia era bastante anodina, salvo por el divorcio de sus padres, ocurrido cuando contaba diez años. Desde entonces los tres se llevaban bien. No había sufrido ningún trauma significativo; ni su padre ni su madre tenían antecedentes de depresión.

Yo le dije que me impresionaba que me hubiera llamado su padre. Lo normal es que lo hagan las madres, ya que ellas se preocupan más. Por eso le pregunté cómo se llevaba con él, a lo que me respondió que siempre habían estado muy unidos.

—Él era quien me leía cuentos por la noche.

Desde que cumplió siete años, los dos iban de acampada en verano.

—Me pasaba todo el año deseando que llegaran esos viajes —dijo Dwight—. Cuando tenía diez u once años, papá empezó a preocuparse mucho; primero por mi reacción con lo del divorcio; después, varios años más tarde, con mi hermana adolescente, que era muy problemática. Por entonces empezó a preocuparse también por sus negocios. Yo seguía esperando con ilusión las acampadas, y sabía que me quería mucho, pero él parecía sentirse siempre desgraciado.

Mandé a este joven a un terapeuta de mi confianza.

Una semana después Bernard me llamó para pedirme mi opinión. Con el permiso de su hijo, discutimos el caso y le dije:

—Creo que hay dos posibilidades. Puede que su hijo esté tan preocupado por usted, por su infelicidad, que tema dejarlo solo para empezar una nueva vida. Y la otra es que, como la mayoría de los hijos, vea el futuro a través de los ojos de sus padres, de su padre en este caso. Sin siquiera darse cuenta, supone que su vida será más o menos como la de usted.

Tras varios segundos de silencio, Bernard me preguntó:

—¿Qué puedo hacer?

—La respuesta es sencilla y terriblemente difícil —dije—. Debe usted arreglar su propia vida. Sería un acto de amor hacia su hijo que le encontrara significado, que buscara todo aquello que le proporcione alegría y satisfacciones.

Entonces ¿qué podemos hacer para que nuestros hijos crean en un mañana lleno de esperanza, dicha y gratitud? Como le dije a Bernard, debemos ocuparnos de nosotros mismos, pero ¿cómo?

❦

Muchas familias acuden a mí con hijos sintomáticos: depresión, retraimiento y agresividad. Aunque los padres consideran que el "problema" es su hijo, suelo acabar trabajando con ellos y no con el niño. Y, normalmente, al mejorar el matrimonio (al reencontrarse la pareja con el amor y la felicidad del pasado), la tensión del hogar disminuye y los síntomas del hijo desaparecen.

Lo mismo ocurrió cuando Jeff y Martha vinieron a verme con su hijo Tony, al que habían pillado acosando a otros niños en el colegio. El chico, de ocho años y un poco grandote, parecía agresivo y retraído. Pero no había que mirar mucho para ver la tristeza de sus ojos. Ya desde la primera sesión supe que esa tristeza era inaccesible: el chico no quería abrirse porque eso le provocaba inseguridad. Se desahogaba agrediendo, pero en las sesiones no abría la boca.

Al hablar de la familia, los padres dijeron muchas cosas de la hermana de doce años de Tony, que parecía acaparar casi todas las atenciones y alabanzas de la madre. Empecé a comprender el cuadro de un matrimonio que los años habían puesto a prueba. Para lidiar con él, Jeff se encerraba en sí mismo al volver a casa del trabajo: no se involucraba en la familia. Además de ensimismado, estaba algo deprimido. Martha, por el contrario, se preocupaba demasiado por sus hijos, sobre todo por la hija. Conscientes de la ansiedad familiar, ambos padres hacían lo posible por "normalizar" la situación. Por eso no hablaban en casa de temas importantes ni reconocían su propio sufrimiento.

Ellos, y no el hijo, tenían que ser los responsables de la transformación. Cuando Jeff y Martha empezaron a dedicarse más tiempo, a preocuparse más por sus propias vidas, a poner voz a su dolor y a confortarse mutuamente, entonces aprecié un cambio en Tony.

Jeff y Martha empezaron a salir una vez por semana. Después asistieron juntos a clases de baile. Y todos parecían más felices.

¿Qué había cambiado?

En este caso no tratábamos de curar una dolencia, sino de buscar la felicidad.

NUESTRO TRASTORNO
DE ANSIEDAD NACIONAL

"Quizá lo más importante de la vida sea cómo manejamos nuestra ansiedad", le dije una vez a un amigo. "Somos diferentes y la controlamos de formas distintas, pero parece que nos aqueja a todos". En 1999 escribí una columna sugiriendo que el trastorno de ansiedad nacional causaba estragos entre la población. No disponía del menor dato estadístico para afirmarlo, por supuesto, pero sí tenía amigos, pacientes, oyentes de mi programa de radio que llamaban a la emisora, y mi propia experiencia.

A finales de los noventa los colegios públicos se volvieron más competitivos y más exigentes. La presión derivada del deseo de entrar en una buena universidad se incrementó de forma significativa al acabar la década. Según algunos de mis amigos, la competitividad aumentaba hasta en las guarderías.

También observé que en los noventa crecía la ansiedad provocada por la delincuencia y que una de las formas habitacionales de más éxito era la urbanización vallada, aunque los delitos violentos disminuían. La ansiedad financiera campaba a sus anchas, aunque el mercado de valores estaba en auge.

Como he dicho, esa columna la escribí en 1999. Eso fue dos años antes de que todos nos viéramos expuestos al terrorismo y nuestro endémico trastorno de ansiedad se disparara.

~✕~

¿Era cierto lo que le dije a mi colega? ¿Lo más importante en la vida es gestionar la ansiedad?

Piensa en esto: quien se controla mucho, lo hace porque tiene miedo a perder el control; quien es adicto al trabajo, la limpieza, el alcohol, los medicamentos, los logros o cualquier otra cosa, está demostrando que padece un trastorno de ansiedad. La inseguridad es una forma de ansiedad; y la timidez también. Las discusiones familiares, la agresividad al volante, interrumpir a quien habla, todo eso está relacionado con la ansiedad.

Antes de la Pascua judía leo algo para dar más interés y relevancia a la festividad. Buscando la lectura del año pasado, descubrí que cuando Moisés se llevó a los judíos de Egipto, no todos le siguieron. El artículo que leí calculaba que solo lo hizo el veinte por ciento. ¿Por qué? Casi todos preferimos seguir con nuestra vida diaria aunque nos cause sufrimiento. ¿Por qué? Las reglas, las rutinas, lo predecible son medios de mantener a raya la ansiedad. Cuanto mayor es esta, más nos aferramos a lo conocido; porque cambio es igual a ansiedad.

Lo que me recuerda la profunda parábola de Moe, Larry y Curly (cualquier parecido con mis héroes de infancia es pura coincidencia).

Moe, Larry y Curly eran náufragos que llevaban años viviendo en una islita. Un día encontraron una botella en la playa, y, al frotarla, apareció un genio que les dijo:

–Puedo conceder tres deseos, y ya que aquí hay tres hombres, os concederé uno a cada uno.

Moe, que era francés, exclamó:

–¡Qué no daría yo por estar con mi amada en un cafetito de la Orilla Izquierda bebiendo vino y mirando a los paseantes!

¡Paf, desapareció!

Larry, que era alemán, dijo:

–Desde que estoy aquí, he contado las albas y los ocasos para saber cuándo era la Oktoberfest. ¡Oh, cómo me gustaría estar en una cervecería de Múnich en este preciso instante!

¡*Kaput*, allá que fue!

Entonces el genio miró a Curly.

–¿Cuál es tu deseo? –preguntó.

–Pues ¿sabes qué? –contestó él–, que echo de menos a esos dos.

Ahí está el quid: Curly desea lo mismo que ese ochenta por ciento de judíos que se quedaron en Egipto. Para sentirnos seguros, necesitamos lo que tenemos. Por mucho que nos quejemos de ello, si nos dan la oportunidad de cambiarlo, habrá un Curly en nuestro interior que diga: "Tú limítate a darme lo mismo que ayer".

Ahí radica lo mejor y lo peor de la mente humana. Lo mejor es nuestra capacidad de adaptación. ¿Lo peor?

Bueno, ¿cómo salimos de la isla?

Mi propia ansiedad ha sido mi más fiel compañera. Pero, aunque no he sido capaz de acabar con ella ni de ignorarla, reconozco que nuestra relación ha cambiado con el paso de los años.

Hace poco fui a un retiro meditativo de tres días. Resultó maravilloso, relajante y muy útil para centrarse. Regresé a casa un domingo por la tarde hacia las ocho sintiendo una paz extraordinaria. Deshice el equipaje y me acosté un par de horas después. A las dos de la madrugada me desperté con palpitaciones y la cabeza llena de horribles pensamientos sobre trabajos sin acabar, obligaciones contraídas que no iba a poder cumplir, y así sucesivamente. El demonio de la ansiedad había vuelto.

Una vez me di cuenta de lo que pasaba, dije (casi en voz alta): "¡Tú, hijoputa! ¡Después de dedicar *tres días* enteros a tranquilizarte, ¿no me dejas en paz ni cinco horas?!", y luego me dio risa la futilidad de mi intento de fuga. Claro que la ansiedad seguía allí. Siempre estaría allí. ¿Me creía en serio que un retiro de tres días iba a acabar con mi leal compañera? ¡Tonto de mí!

Esto es típico de nuestra forma de actuar. Intentamos hacer tratos con ella. Le decimos: "Y si consigo más cosas… ¿te irás?"; o, "Y si me traslado a una urbanización vallada, ¿me libraré de los delincuentes?"; o, "Y si gano mucho más dinero… ¿me garantizas que no me preocuparé nunca más?".

No hace mucho un amigo me contó lo que sentía: para conseguir algún tipo de seguridad necesitaba trabajar cada vez más.

–Siento como si mis demonios me mordisquearan los talones –comentó.

¿Qué podía hacer para que dejaran de mordisquearle?

–Siéntate –respondí.

No es que te persiga ningún demonio, es tan solo que una parte de tu mente exige atención. Creo que la verdadera seguridad se presenta cuando dejamos de temer a nuestra mente. Si sientes ansiedad, limítate a sentirla; si tu mente te arrastra a un lugar oscuro, limítate a quedarte en él.

Le dije a mi amigo que, cuando te parece haber caído a los infiernos, solo puedes hacer una cosa:

—Busca la parada de autobús más próxima y siéntate —y en respuesta a su expresión de perplejidad, añadí—: Cuando esperamos el autobús, sabemos que llegará, pero no sabemos cuándo. Da igual que haga frío o calor, que llueva o que tengamos una prisa tremenda: cuando haya de llegar, llegará. Porque algún día te encontrarás en el cielo; ¡no lo dudes, también allí llega el autobús!

Aquella conversación me hizo reflexionar sobre la relación que mantenía yo con mi propia ansiedad. Después de todos estos años, no puedo rechazarla, ni ignorarla, ni siquiera controlarla especialmente bien, pero sí siento que ha cambiado de rumbo.

Como a casi todos, me daban miedo las grandes catástrofes que podían acaecer. Sin embargo, como con el paso del tiempo vi que ya había sufrido muchas de ellas, descubrí que sentía menos miedo.

He adquirido fe (por ahora) en mi flexibilidad. También tengo fe en que a nivel más profundo, si el sufrimiento regresa, como seguramente hará, estaré bien.

Es cierto que la fe no quita la ansiedad. Yo sigo sintiéndola cuando mi silla de ruedas hace un ruidito raro... o cuando tengo una sensación especial y me pregunto si me goteará el catéter… o cuando debo asistir a una reunión en invierno y no sé si habrá alguien a mano para ponerme el abrigo. También me preocupan mis conferencias y las palabras de este libro, porque no sé si reflejarán con fidelidad lo que hay en mi interior, ni si mi forma de expresarlo te será de ayuda.

Así que mi ansiedad y yo seguimos pasando un montón de tiempo juntos, pero nuestra relación ha mejorado mucho. Ya no trato de controlarla. Y, paradójicamente, ella también me controla menos.

El toma y daca
de cuidar a otros

A la tierna edad de veinticuatro años, mi esposa, Sandy, se enteró de que padecía un melanoma maligno. Nuestras hijas contaban uno y dos años. Yo era consciente de que debía "ser fuerte", por ellas. Y también debía serlo por mi esposa, que sufría un terrible dolor emocional.

No podía perder muchos días de trabajo porque era yo quien mantenía a la familia pero, al mirar atrás, pienso que iba a trabajar porque necesitaba desesperadamente un ancla, algo conocido. El trabajo me daba seguridad.

Además de cuidar de todos, actuaba como telefonista de la familia. Nadie quería molestar a Sandy, así que todos me llamaban a mí preguntándome lo mismo: "¿Cómo está?".

Teníamos que vivir con las consecuencias de la enfermedad. Mi bella y joven esposa no solo debía lidiar con una afección grave, sino con una pierna deformada a causa de la cirugía, algo especialmente duro para una mujer de veinticuatro años.

Entonces apareció el miedo a los efectos secundarios de la quimioterapia. Cinco días al mes, durante todo un año, íbamos hasta el Fox Chase Cancer Center de Filadelfia. Tras cada sesión, Sandy sentía náuseas y fatiga, y daba por hecho que, con las sesiones sucesivas, empeoraría aún más.

Vivíamos el agotamiento y el estrés día tras día, y las preguntas se aglomeraban en la sombra: ¿Habrá metástasis? ¿Se reproducirá el cáncer? ¿Se morirá/me moriré? Y, entre tanto, nuestras hijas necesitaban de nuestros cuidados.

Estaba aprendiendo lo que significaba ser cuidador.

Cuando Sandy enfermó, yo hacía un curso de capacitación en terapia marital y familiar. Mi supervisora era Geraldine (Gerri) Grossman, profesora sénior del Family Institute de Filadelfia, una mujer maravillosa y comprensiva. La supervisión era a veces muy personal, porque las emociones sin resolver de un terapeuta ejercen gran influencia en la terapia.

A Sandy le diagnosticaron el cáncer a mediados de mi curso. Cuando Gerri me preguntó cómo me sentía, le respondí que como si alguien hubiera pulsado un interruptor. Le conté cómo le iba a Sandy, física y psicológicamente, cómo les iba a mis hijas y demás. Esa era "mi historia".

Pero ella insistió:

–Te he preguntado cómo estás tú. No los otros.

Al principio su pregunta me desconcertó. Después, por primera vez en meses, dejé de preocuparme por los demás. Y sentado allí, con mi profesora, me eché a llorar.

Me sorprendí y me avergoncé, pero como con Gerri me sentía seguro, seguí a lo mío. Entonces me di cuenta de lo cansado y lo amedrentado que estaba; de que había trabajado demasiado, fingiendo que me encontraba bien. Era como si hubiese ignorado aposta esa vulnerabilidad. Temía que, si la manifestaba, me derrumbaría y sería incapaz de hacer el trabajo que debía hacerse.

He notado algunas cosas sobre los cuidadores y las personas que cuidan. La mayoría trabaja duro y pretende tener más fortaleza de la que tiene. Casi todos se sienten solos e incomprendidos; menos importantes que la gente a la que cuidan. El mantra que oigo a menudo es: "¿Cómo me voy a quejar yo? ¡Mira lo que sufre mi ser querido!". Y ser cuidador significa también sentirse culpable, impotente y frustrado. Siempre parece que hacemos poco por mitigar el sufrimiento de quien cuidamos.

Suele ser la casualidad la que nos impone el papel de cuidadores. Un día estamos viviendo nuestras vidas y al siguiente todo se vuelve patas arriba y nosotros somos los responsables de enderezarlo. Esta labor se convierte en nuestro trabajo cuando la persona que cuidamos es un ser amado o alguien con quien hemos mantenido una relación conflictiva.

Muchos cuidadores se enfadan. ¡Tiene sentido! Quien se siente agotado tiende a enfadarse. Quien es responsable de un trabajo que le sobrepasa se enfada. Muchos se enfadan con la persona que cuidan; otros porque sus apoyos externos no responden como sería de esperar, y otros muchos porque sienten que les han robado la vida.

La persona cuidada, ya sea un paciente o un ser amado, también suele irritarse con frecuencia. Tras mi accidente, detestaba que me atendieran hasta cuando lo necesitaba. Aunque, en secreto, deseaba que todos me mimaran aún más. Quería que supieran el miedo que sentía y quería que me abrazaran. Quería que fueran conscientes de lo abrumado que estaba y de lo que ansiaba oír las palabras: "Nunca más tendrás que preocuparte por nada. Yo me ocuparé de tu vida por ti", las mismas que los niñitos anhelan escuchar cuando están asustados.

Pero odiaba que me cuidaran; me arrebataba mi sentido de la independencia y de la valía. Y, a veces, me resultaba aún más hiriente que me cuidara alguien que amaba, pues sabía que el hecho de estar pendiente de mí le privaba de alguna cosa. Me sentía culpable de mi dependencia, y cuanto más dependiente era, peor me sentía.

Solía decirle a mi mujer:

—Estoy bien. Sal a comer con tus amigos o vete el fin de semana. No me pasará nada.

Pero era mentira y ella lo sabía, así que ella mentía a su vez al responder:

—No, no te preocupes. Estoy bien, no necesito salir.

Hete aquí dos personas que habían sufrido una terrible adversidad ¡mintiéndose mutuamente por amor! Y enfadados con todo aquello que los había conducido a esa situación.

La ira puede hacer que los cuidadores trabajen más y mueve montañas. A mí me ayudó a hacer justicia en un injusto caso del sistema de salud. Pero también puede envenenar. Ya sea justificada o no, con el paso del tiempo se convierte en amargura e indignación, lo que nos transforma en víctimas de nuestras propias emociones. El veneno de la ira pasa al cuerpo una factura que puede anular el trabajo de un cuidador.

Ese es el problema. Al padecer una enfermedad crónica o quedar traumatizado por cualquier otro motivo, te sientes solo y aislado del mundo. Y al ser cuidador, te sientes exactamente igual. Así que tenemos dos personas que se aman y se sienten solas, y ninguna de ellas es lo suficientemente abierta ni sincera con la otra, lo que empeora mucho más la alienación de ambos. ¡Cuántas lágrimas habremos derramado a espaldas del otro!

¿Qué puede hacerse?

Cuando me lo pregunta un cuidador extenuado, lo primero que hago es darle información de las muchas y estupendas asociaciones que les proporcionan ayuda y algún respiro.

Pero hay otra forma de ayudarlos. Y puede ser fundamental. Si me cuidas y me amas, pregúntame cómo me siento al estar enfermo y depender de tus cuidados. Entonces, escucha. Después –esto es muy importante– dime qué significa para ti. ¿Cuáles son tus pérdidas y cuáles tus miedos? Háblame de tus sentimientos encontrados, que yo seré capaz de escucharte; cógeme de la mano, sonríe y siente sin reservas. Eso te ayudará. Eso me ayudará.

Si nos tratamos con guantes de seda, nunca llegaremos a contactar de verdad con quienes más amamos y más necesitamos. Cuando miro atrás... cómo deseo que Sandy y yo nos hubiésemos abrazado y hubiésemos llorado por el terrible acontecimiento de nuestras vidas en lugar de protegernos el uno al otro.

Daniel Gottlieb

~⚬~

En *Wounded Hearts (Corazones heridos)*, Rachel Naomi Remen, médico, cofundadora y directora médica del Commonweal Cancer Help Program, cita el poema que una mujer dedica a la madre que fue su cuidadora. Comienza con el consejo que su madre tanto le repetía. La respuesta es de la hija. El poema se titula *¿Mamá sabe más?*

No hables
de tus problemas.
A nadie le gustan las caras tristes.

Oh, mamá.

La verdad es que
la alegría aísla,
el humor defiende,
la competencia intimida,
el control separa,
y la tristeza…

la tristeza nos impulsa a abrirnos.

Los sueños de los hijos
y la fe de los padres

"Tus hijos no son tus hijos.
Son hijos del ansia de vivir de la propia Vida.
No vienen de ti sino a través de ti
y, aunque estén contigo, no te pertenecen.
Kahlil Gibran, de *El profeta*

Cuando mi sobrino Billy estudiaba en la universidad, creó un grupo bastante bueno de comedia de improvisación. De hecho, tras graduarse, actuó con éxito en varias facultades. Pero a pesar de la notoriedad, ganaba poco. Entonces observé que los adultos de su familia reaccionaban primero con descontento y después con críticas.

No sé exactamente cuáles eran sus expectativas respecto al futuro de Billy, pero estaba claro que a mis parientes no les hacía ninguna gracia que se forjara una carrera en la comedia de improvisación. Lo mucho que tendría que luchar para ganarse la vida… eso sí que representaba la pesadilla familiar: era lo que más temían.

Entonces Billy contrajo matrimonio y la preocupación familiar se disparó. Todos clavaban los ojos en ese joven casado, con educación universitaria, que se ganaba la vida a duras penas como cómico de micrófono. En una reunión familiar, mi padre (el abuelo de Billy) se enfrentó a él y le dijo:

–Tienes que buscar algo que te permita mantenerte a ti y mantener a tu mujer. Olvídate de una vez de eso de la comedia y consigue un trabajo estable.

El observador escuchó lo que mi padre decía y pensó: "Vale, puedo entender que se sientan frustrados, pero también entiendo que este chico tenga un sueño que le apasiona y trate de hacerlo realidad".

Entonces Billy le contestó:

–Espera un minuto, abuelo. ¿Me estás diciendo que consiga un trabajo como el tuyo?

(Mi padre era un empresario jubilado que había trabajado toda la vida en su tiendita de artículos militares.)

–Eso mismo.

–¡Pero si te has pasado treinta y cinco años quejándote! Decías que era aburrido, que te sentías atrapado pero no tenías otra salida –replicó Billy.

El abuelo meditó sobre la respuesta de su nieto, y yo también. En ese momento reconocí que mi padre se estaba comportando como la mayoría de los padres. De forma automática, tratamos de guiar a nuestros hijos basándonos en nuestra experiencia. No es fácil mantener la estabilidad de nuestro entorno, por ello los consejos que damos responden al intento de acallar nuestros miedos y convertir en realidades lo que esperamos de nuestros vástagos.

He aquí algo interesante. A los veintidós años, como la mayoría de los jóvenes, mi sobrino creía saber más que los adultos sobre lo que podía hacerle realmente feliz. Pero Billy se distinguía en que estaba dispuesto a correr un gran riesgo para conseguir su sueño. Se arriesgaba a perder la aprobación familiar para seguir un camino que nadie había tomado antes que él.

Todos los jóvenes albergan sueños, y muchos de esos sueños contradicen los deseos y las esperanzas familiares. Algunas familias los animan a seguir su propio camino. Otras sienten ansiedad e inseguridad cuando sus hijos empiezan a forjarse vidas "distintas".

En los años siguientes, Billy continuó con su grupo de improvisación. Él y su mujer tuvieron un hijo y siguieron bregando con la economía. Por fin, fue la prudencia quien le forzó a abandonar su sueño y a buscar un trabajo fijo, del tipo de los que supuestamente odiaba. Sin embargo, fue el primero en sorprenderse al descubrir que disfrutaba con su oficio de vendedor. Supongo que dirás que "maduró"; pero fue más bien que creció de un modo imprevisto. Si la familia en pleno se hubiese reunido para trazar el camino profesional de Billy, ese camino no se habría parecido en nada al trazado por él. Al encontrar un camino propio, halló la forma de sentirse satisfecho con su vida siguiendo unos pasos que ninguno de nosotros hubiera imaginado. Sus familiares estaban convencidos de saber lo que le convenía, pero se equivocaban. Billy estaba convencido de saber lo que le convenía, ¡y él también se equivocaba!

Daniel Gilbert, en su libro *Stumbling on Happiness (Tropezarse con la felicidad)*, habla de cómo se toman las decisiones sobre el futuro de uno. Su investigación demuestra que esas decisiones suelen basarse en lo que creemos que nos hará felices. Pero él ha descubierto que somos bastante malos al predecirlo. Y aunque ponemos gran empeño en evitar lo que creemos que nos hará desgraciados, también en eso solemos equivocarnos.

Supongamos que, cuando yo tenía treinta y dos años, alguien me hubiera dicho: "En los veinte años venideros serás tetrapléjico, tu mujer te dejará y fallecerá poco después. Algo más tarde, morirá tu hermana y a continuación tus padres. Pero no te preocupes: de todas formas serás feliz". Imagina lo que habría pensado.

Pero eso es exactamente lo que ha ocurrido. Y muchos conocidos míos que han sufrido grandes adversidades dicen que el trauma, por supuesto, cambió sus vidas... para bien.

Parece demostrado que somos bastante malos prediciendo lo que nos conviene o no nos conviene e incluso peores cuando tratamos de predecirlo para otros. Según Gilbert, se debe en parte a que nos basamos en nuestra experiencia o en lo que otros nos cuentan sobre el mañana. Pero eso nos proporciona pocos datos sobre nuestro futuro, por no hablar del de nuestros hijos.

Lo más fascinante de mi familia fue que todos trataron de adentrarse en el futuro de Billy y de imaginar qué le haría feliz. Pero nadie puede prever el futuro. Ni siquiera el propio interesado.

En el poema que cito al principio de este capítulo, Kahlil Gibran continúa así:

Podrás darles tu amor pero no tus pensamientos,
pues ellos albergan los suyos.
Podrás hospedar a sus cuerpos pero no a sus almas,
pues ellas moran en la casa del mañana, que tú
no puedes visitar, ni siquiera en sueños.

Sobre la compasión

Recientemente cené en un restaurante con dos parejas que conozco desde hace pocos años. La amistad entre ellos viene de más lejos: una década. Aunque empezamos hablando de temas de interés común, la conversación derivó enseguida a cosas relacionadas conmigo. De pronto, mi mente se disparó y me puse a pensar: "No sé que hago aquí. Solo me invitan por compasión. Soy el quinto de la mesa. Es un número raro. Estoy solo".

Cuanto más hablaban ellos, más crecía mi inseguridad. De golpe y porrazo caí en la cuenta de que aquella conversación paralela la estaba manteniendo conmigo mismo, y me dije: "Ya me ha dado la neura. Qué pesadez. Espero que se me pase pronto". Y también noté que estaba sufriendo.

Me sentí abrumado por la ansiedad y la soledad, y estudié el proceso a lo largo de la cena mientras esas dolorosas emociones iban y venían. En ciertos momentos participaba en la conversación general y en otros volvía a vagar por mi mente. Cuando la cena acabó y nos despedimos, me puse a pensar: "Ay, no, y ahora en casa solo. No habrá nada que me quite de la cabeza estos desagradables sentimientos y pensamientos. Espero no ir a peor, pero prestaré mucha atención".

En mi furgoneta, los sentimientos siguieron conmigo, y mi conciencia también. Y mi compasión por mí mismo. Me sentía angustiado y solo.

Pero la cuestión era: si me veo a mí mismo volverme loco, *¿quién soy yo?* ¿Soy el loco o el atento observador del loco? ¿Quién soy en realidad?

Desde mi posición de observador, podía ver que todo aquello era el resultado de emociones dolorosas que todos experimentamos en alguna ocasión. Y era consciente de que se me pasaría. Pero, entre tanto, ¿cómo podía ayudarme? ¿Cómo podía ser más amable y compasivo con el loco del restaurante que se dirigía a casa solo, conduciendo una furgoneta?

Para estas ocasiones, tengo un ejercicio. En primer lugar trato de imaginarme el encuentro entre Moisés y Dios en el monte Sinaí, tal como me lo describió un rabino amigo: Hubo un momento en que el Señor dio la espalda a Moisés y, *por un instante fugaz,* este vio el mundo a través de los ojos de Dios.

Luego intento ver el mundo a través de esos ojos: los de un ser cariñoso, comprensivo y bueno. A través de esos ojos miro a mi familia y me compadezco de ellos. Entonces noto que mi corazón se ensancha. Y si puedo seguir mirando a través de esos ojos de amor y compasión, a veces veo el mundo y sus gentes como los ve Dios. Y, por último, intento verme a mí mismo a través de los ojos de ese Dios bondadoso.

La verdad es que a veces por las mañanas, cuando me levanto, me acerco al espejo y me miro con ojos compasivos.

A veces veo a un viejo amigo; otras me entristezco, me conmuevo y lloro, pero siempre siento algo muy íntimo.

Al recordar el restaurante, el observador de mi interior comprendió mi sufrimiento y se apiadó de mí. Ojalá pudiéramos hacer siempre lo mismo por nosotros y por los demás: mirar, comprender. Ojalá pudiéramos ver el mundo a través de los ojos de Dios.

¿LAS NECESIDADES DE QUIÉN SON ESPECIALES?

Hace algún tiempo me llamó una mujer que quería saber si había algún centro de día para discapacitados. Me quedé perplejo. Después de pensarlo un momento, tuve que decirle que no conocía ninguno.

No obstante, su pregunta me hizo pensar. Si había un Centro de Discapacitados, ¿a quiénes admitirían? Yo desde luego, con mi silla de ruedas, entraba. Y la gente con andadores o bastones. Estoy seguro de que también los ciegos y los enfermos mentales que padecieran cosas como esquizofrenia o trastorno bipolar, y los discapacitados por trastornos del desarrollo, como el autismo. Entonces me pregunté qué pasaría con los neuróticos vulgares y corrientes como tú y como yo. ¿Nos rechazarían?

Está claro que no es fácil decir quién está discapacitado y quién no, ni siquiera es fácil saber qué significa padecer una discapacidad. Basta con fijarse en el lenguaje. "Tullido" se ha transformado sucesivamente en: "inválido", "minusválido", "disminuido", "discapacitado", persona con "necesidades especiales".

Pero lo de "necesidades especiales" tampoco funciona. Si tú ves mi silla de ruedas, es obvio que mis necesidades lo son.

Pero las tuyas… Perdón, ¡son de lo más ordinarias!

¿Ves a qué me refiero?

Vale, entonces ¿de quiénes hablamos cuando nos referimos a los minusválidos, tullidos, discapacitados o personas con necesidades especiales? Creo que puedo aportar cierta claridad a este maremágnum. La definición gottliebiana de discapacidad es: "Tener algo que otros no quieren". Si al ver a alguien piensas: "¡Yo no quiero estar nunca así! ¡Qué horror!", apuesto a que estás mirando a un discapacitado (comprendo que esto puede incluir muchas otras cosas, como la pobreza, pero concédeme un poco de manga ancha: al fin y al cabo, soy una persona con necesidades especiales). Y tú reaccionas así porque los discapacitados tienen un aspecto raro, actúan de forma rara, o peor, y dependen de otro.

He observado que casi todos los humanos valoran mucho su independencia. Cuando miran a alguien dependiente, piensan: "Yo no quiero estar nunca así". En las relaciones íntimas, "dependencia" se ha convertido casi en una palabra maldita. Así que como nos da miedo reconocer nuestra dependencia, inventamos una palabra nueva: "Interdependencia". Porque lo que más tememos –temo– es nuestra dependencia invisible.

El problema es, por supuesto, que seas o no un inválido en este momento, vas camino de engrosar nuestras filas. Los activistas de los derechos de los discapacitados llaman a los otros "capacitados temporales". Inevitablemente, al envejecer se produce una pérdida de las facultades físicas y a menudo también de las mentales. El proceso suele empezar hacia los cuarenta, cuando nos compramos nuestras primeras gafas de leer. Después, a los cincuenta, empezamos a perder algo de memoria. Todos nos dirigimos a una etapa de la vida en que seremos más dependientes.

Y aquí va un poco de consuelo. Lo superarás.

¿Por qué lo sé?

Porque eso es lo que hacemos los humanos. Superar las cosas. Hasta las que imitan nuestras peores pesadillas.

Hace varios años vi en la consulta a un obeso de cerca de setenta años. A causa del peso que soportaba, las articulaciones de las rodillas empezaban a fallarle. Ya le habían puesto una rodilla artificial. Al acabar la consulta se esforzó por levantarse. Le costó varios minutos y, francamente, me angustió verlo sufrir.

Por fin se puso en pie, tomó aliento y me miró.

–Sé que no debería decirte esto, Dan –dijo–, pero por duro que me resulte levantarme, cuando te veo pienso: "¡Gracias a Dios que puedo hacerlo!".

–Bueno, sé que no debería contestarte esto –respondí–, pero al ver lo que te costaba, he pensado: "¡Gracias a Dios, no tendré que pasar por esa mierda cuando sea viejo!".

Reflexioné aún más sobre el proceso de la dependencia cuando leía *Tuesdays with Morrie (Martes con Morrie)*, de Mitch Albom. Cuando Morrie, mentor de Albom, empezó a padecer ELA (esclerosis lateral amiotrófica), le dijo a Mitch: "Ay, Dios mío, y llegará un día en que tengan que limpiarme el culo".

Cuando lo leí, lo primero que pensé fue: "Lo superarás, Morrie. Igual que yo". Llevar un catéter y necesitar que alguien te bañe y te vista solía resultarme una indignidad terrible. Ahora todo eso forma parte de mi vida, como le pasa a quien necesita gafas para leer o bifocales: adquiere el hábito de ponérselas y quitárselas sin darse cuenta. Todo lo que necesitas hoy que no necesitaste ayer se convierte simplemente en parte de tu vida.

Como ya supondrás, cuando alguien me mira se imagina a sí mismo en mi situación y siente miedo. A mí me pasaba igual cuando era más joven. A causa de mi invalidez he experimentado ya lo que la mayoría experimenta al envejecer. Me considero muy afortunado cuando escucho a semejantes de mediana edad quejándose por todo lo que han perdido. Eso que les pone neuras yo ya lo he pasado; no me preocupa. ¡Así mi mente es libre para agobiarse con otras ochenta mil cosas más!

Y hablando de mente: ella es la que más influye en nuestra forma de envejecer.

He aquí un ejemplo.

Cuando era un muchacho estudié el envejecimiento de mi padre. Primero vi que su pelo cambiaba de color, pasando del castaño al castaño claro y después al gris. Luego se quedó calvo. En sus últimos años perdió poco a poco el oído, la fuerza y el sentido del gusto. Esas pérdidas no parecían molestarle demasiado, pero otras sí. Cuando pasó de los ochenta solía decir: "Estoy preparado para irme de este valle de lágrimas".

Un día le pregunté si su dolor emocional era tan grande que le preparaba para morir.

–Algunos días sí.

–Háblame de ellos, papá.

–Bueno, empiezo a pensar. He enterrado a mi mujer y a mi hija. Y mi hijo tiene que bregar a diario con una silla de ruedas. Esos días estoy preparado para morir.

–Pero, papá –dije–, esas cosas son verdad todos los días. ¿Qué pasa con los que no estás preparado?

Mi padre se lo pensó un minuto.

–Supongo que esos días no pienso en esas cosas.

"Entonces eso es lo que pasa", pensé yo. Cuando envejecemos, hay días en que clamamos por lo que hemos perdido; otros ni siquiera nos acordamos. Algunos días la dependencia y las indignidades nos parecen insoportables; en otros esos inconvenientes no significan gran cosa: nos gusta estar vivos. Y esas percepciones pueden cambiar de hora en hora.

¿Te suena?

Eso es. Sea cual sea nuestra edad, seguimos pensando como piensan los humanos, seguimos sintiendo como sienten los seres humanos.

Sin duda en mi interior hay un cómico pequeñito que encuentra muy divertido que alguien me diga inconscientemente:

–A veces cuando pienso en mi vida, me siento paralizado.

Yo me quedo mirándolo y contesto:

–¡Qué cosas! ¡Igual que yo, a veces!

LO BUENO DE MORIRSE

Hace varios años Maiken Scott (mi director de radio en WHYY) y yo decidimos hacer un programa sobre la muerte. Una enferma terminal ingresada en el Hospital de Pensilvania se ofreció para participar, por lo que Maiken, el técnico de sonido y yo nos dirigimos al área de oncología para entrevistarla.

La zona olía a enfermedad, quimioterapia, tristeza y desesperación. Era yerma, estaba inquietantemente silenciosa. Jane, la enferma de cáncer, se encontraba ovillada en la cama. Como sus venas periféricas se habían colapsado, recibía la quimioterapia por un catéter situado en el cuello.

Nuestro equipo de audio era mínimo. Tan solo disponíamos de un micrófono (era una radio pública financiada por los oyentes). Cuando hago entrevistas en esas condiciones, aguzo el oído porque conozco la sensibilidad del micrófono y sé que recoge toda clase de ruidos molestos. Maiken, que también lo sabía, se sentó muy cerca de la cabecera para moverlo entre la encamada Jane y yo.

Así que allí estábamos los tres, bien arrejuntaditos. Hablamos casi una hora sobre la vida de la mujer, su familia y la aparición de su enfermedad. Al final decidí formularle preguntas más comprometidas. Le pregunté qué se sentía al morirse, y si lloraba ya su propia vida.

Como sabía que era una pregunta impactante, no me pilló desprevenido el silencio que vino a continuación. Pero durante ese silencio, oí un goteo. Temeroso de que el micrófono recogiera el *toc-toc-toc*, me volví lo más que pude para mirar el baño. El sonido no procedía de allí, pero yo seguía oyéndolo claramente.

Entonces fue cuando miré al suelo: debajo de mi silla de ruedas se estaba formando un charquito. Como estábamos tan juntos, la rodilla de Maiken habría tropezado con mi catéter y me lo había desconectado. Lo que goteaba era mi orina.

No sé tú, pero yo no he leído en ningún libro de etiqueta qué se debe hacer si, en presencia de un enfermo terminal, se te sale el catéter y empiezas a gotear.

Por fin rompí el silencio:

—Detesto tener que decírtelo en este momento, Jane, pero creo que te he llenado el suelo de pipí.

Maiken me miró con los ojos como platos (solía pasarle al escuchar mis comentarios).

Jane replicó:

—Vale; no te preocupes.

—Pero es que me da un apuro tremendo que haya pasado —dije—, y precisamente ahora.

Jane me consoló de nuevo.

—No te dé apuro, Dan.

Y yo dije, casi sin creer que pudiera tomármelo con tan buen humor:

—Como a mí me da un apuro tremendo y a ti no, ¿puedo decir que has sido tú?

–Por supuesto –contestó ella, y todos nos echamos a reír.

Más tarde, en cuanto entró la enfermera, exclamé:

–¡Ha sido Jane! –y todos nos reímos de nuevo.

Veinte minutos después, cuando retomé la conversación, no había risas sino lágrimas.

Ver tan cercana la muerte y reírse en su cara es imposible si no la miramos sin prejuicios, con la mente y el corazón abiertos. Casi cualquiera que se enfrenta a ella se siente dominado por el miedo y la confusión y la tristeza y la soledad. ¡Pero hay tantos que pasan por la vida sin enfrentarse a nada!

La muerte nos angustia porque perdemos el dominio de nosotros mismos, nos angustia porque amamos la vida. Pero no creo que el problema sea sentir angustia; el problema es negar que la sentimos.

Fui afortunado al tener un padre que no intentaba ignorar la muerte. Por eso me enseñó tanto sobre ella. Le vi morir con elegancia, con dignidad, con serenidad. Le quería, por supuesto, pero también sentí por él un profundo respeto y una inmensa gratitud al ver su forma de morir. Gratitud por su lección. Una gratitud que me permitió tomarle el pelo hasta el final de su vida.

¡Imagina mi agradecimiento cuando descubrí que podía seguir tomándoselo incluso después!

Papá llevaba siempre reloj. Y, cuantos más años cumplía, más lo miraba. Como cada dos minutos.

Tras la jubilación, esa costumbre suya fue terreno abonado para las bromas.

—Venga, papá –le decía yo–. ¿Por qué miras tanto el reloj? ¿Tienes prisa? ¿Te esperan en alguna reunión importante?

Por fin le pregunté:

—Oye, papá, ¿qué pasaría si te lo quito?

Él me lanzó una mirada torva, bajó la vista hacia su muñeca (¡el reloj seguía allí!) y replicó:

—Supongo que me explotaría la cabeza.

Después de su muerte me acerqué a la funeraria para recoger sus efectos personales. Me llevó cerca de una hora volver a casa, y hasta que no llegué no me di cuenta de que su reloj de pulsera estaba entre los objetos cuidadosamente envueltos que me había entregado el director.

"¡No, imposible!", pensé. "¡No podéis enterrar a papá sin su reloj!".

Sin pensármelo dos veces, conduje de nuevo hasta allí. El director pareció sorprenderse al verme regresar tan pronto.

Le enseñé el reloj.

—A mi padre le gustaría llevar esto.

El director me condujo a la habitación donde se encontraba el ataúd y abrió la tapa. Luego alzó la mano exánime de mi padre y le puso el reloj en la muñeca; pero, cuando se disponía a cerrar el féretro, noté otra cosa que no estaba bien.

¡Alguien le había encasquetado un *kippah* (el gorro religioso judío)! Otro problema. Mi padre había sido un ferviente defensor del ateísmo durante toda su vida. No quería saber nada de la religión y jamás llevó ninguno de los ornamentos tradicionales. Era la primera vez que lo veía con *kippah*, claro, y estaba convencido de que no le gustaría.

Dudé. Vale, a papá no le gustaría, se lo quitamos. Pero empecé a pensar: ¿Y si los ateos se equivocan? ¿Y si hay algo que gobierna y decide y juzga y monta en cólera de vez en cuando? ¿Qué hacía? ¿Respetar los deseos de mi padre o evitar los posibles efectos secundarios? Todo eso me pasó por la cabeza en un segundo; pero el balance final, dirigido en voz alta al director, fue:

—Vamos a quitárselo.

—¿Está seguro? —preguntó el director.

—Sí.

Veamos: reloj puesto, *kippah* quitado; y papá sin enterarse de los servicios que acababa de prestarle. Aún así, cuando el director se marchó, no pude resistirme a un comentario final:

—Oye, papá, me debes una.

No creo que mi padre me enseñara todo lo necesario para ser un ganso; pero me allanó el camino, porque se reía siempre con mis bromas. Sin embargo, sí me enseñó un montón sobre lo de morir bien. Aprendí que, hasta el último momento, una de las cosas que enseñamos a nuestros hijos es cómo lidiar con esa ansiedad que nos produce la muerte, porque nuestra progenie nos ve y nos escucha.

A pesar de su facilidad para reírse, papá era bastante cínico respecto a la vida. Por eso, cuando ambos descubrimos que estaba en su última etapa, quise saber qué sentía.

—Al pensar en lo que has vivido, papá, ¿qué nota le darías? —le pregunté, esperando que fuese al menos un aprobado.

Tras unos segundos de reflexión, contestó:

—Creo que le pondría un notable.

Su respuesta me sorprendió y me encantó: había disfrutado de su vida. Cuando le visité un par de meses más tarde (unas dos semanas antes de su muerte), me dijo de pronto:

–¿Te acuerdas de lo que me preguntaste de las notas? Pues lo he pensado mejor; creo que le pondría un sobresaliente.

PERDONAR

Cuando sufrí el accidente, sentí un odio infinito por el camionero que lo provocó. Fantaseaba con ser capaz de agarrar un bate de béisbol para romperle el cuello y dejarlo tetrapléjico. Alimenté esas fantasías durante mucho tiempo.

Es normal que ante la injusticia –y cualquier tipo de perjuicio– reaccionemos con ira. Es útil. La ira moviliza la reacción de lucha o huida, ayudándonos a sobrevivir. Y protege nuestras lesiones. Cuando apretamos los puños, cerramos nuestros corazones para evitar daños añadidos; nuestro resentimiento y nuestra rabia forman una costra que evita la infección. Pero si la costra no se cae al cabo de un tiempo, la lesión subyacente no se cura jamás.

A todos nos hieren. Por simple injusticia, quizá: tener un padre estricto y nada razonable, por ejemplo, o crecer con un hermano agresivo. Y la herida puede ser profunda, invisible y purulenta.

Hace años trabajé con Cheryl, una mujer que había sufrido malos tratos a manos del padre. Lo que le hacía era abyecto. La amenazaba violentamente, la ataba a una silla y la obligaba a presenciar las brutales palizas que propinaba a sus hermanos. Su historia, contada por ella misma, me produjo tal impacto que tuve que interrumpirla varias veces para tratar de comprender por lo que había pasado.

En la siguiente visita hice algo que rara vez hago en mi terapia: le pregunté cómo había sido para ella la primera sesión. Y lo pregunté en parte porque quería hablar de cómo había sido para mí.

Cheryl respondió:

–Fue la primera vez que alguien quiso sentir mis emociones.

Hablamos de lo que ocurre cuando encierras el odio y el resentimiento en tu interior. Durante años, Cheryl pensó en ocultar el maltrato. Al principio lo hizo, pero allí escondido, se atrofió y se descompuso; el resentimiento empezó a pudrirse y a heder. Y ella cargaba con eso: no solo con el recuerdo de los malos tratos, sino con los sentimientos de ira que se habían sedimentado sobre la horrenda experiencia. Con el paso del tiempo, la herida adquirió el hedor de la podredumbre.

Esa niña que había vivido un infierno cerró su corazón con el fin de protegerlo. Cuando se sintió suficientemente protegida, empezó a odiar a su padre. El odio le proporcionaba una ilusión de poder. Se decía: "Si sigo odiando, si mantengo los puños y el corazón cerrados, estaré a salvo". Había pasado treinta años protegiendo esa zona adolorida.

Dada la espantosa naturaleza de los actos del padre, Cheryl no sentía la menor necesidad de reconciliarse con él, pero el resentimiento llevaba treinta años haciéndola sufrir. ¿Qué podía hacerse?

El diccionario *Webster* define el perdón como "el fin del resentimiento". Solo eso. No tiene nada que ver con la otra persona.

Cheryl encerró en su interior a una niña que sufría. Esa niña no había recibido consuelo de nadie, ni siquiera de ella misma. Nunca había podido relacionarse de verdad con su sufrimiento. Tenía que ignorarlo. Como he aprendido de mi propia ira, si el corazón está lleno de odio es muy difícil compadecerse de uno mismo. Cuando Cheryl empezara a sentir compasión por la niña que fue y por la mujer que era, entonces quizá lograra llorar sus pérdidas y experimentar ese dolor en toda su dimensión. Eso sería el principio.

Cuando el padre maltrataba a sus hijos, ni siquiera era consciente de que maltrataba a seres humanos. Ignoraba su humanidad. Y seguramente siguiera ignorándola. ¿Podría esa mujer, su hija, encontrar humanidad en él? Al enterarse de ciertos aspectos de la vida de su padre, comprendió su sufrimiento, su ceguera y el porqué de aquellas agresiones. La joven descubrió que su abuelo paterno golpeaba tanto a su esposa como a su hijo, y que los abandonó cuando el chico contaba doce años.

Al conocer esos hechos, Cheryl dejó de ver el mundo en blanco y negro. Cuando encontró la seguridad necesaria para abrir su corazón y sentir lástima, dejó de considerar que hubiese un delincuente y una víctima, un villano y una víctima, un monstruo y una víctima. Entendió que un humano pudiera hacerle daño a otro. No por eso perdonaba a su padre pero, al humanizarlo, se libraba de su yugo.

El perdón no tiene relación alguna con la reconciliación ni con la inocencia del autor. El perdón es el proceso por el cual se abandona el resentimiento o el odio que sentimos por el otro.

Hay un cuento budista sobre un monje que fue atracado a punta de pistola en una estación de autobuses. Inmediatamente después el monje sintió miedo; más tarde, odio. Estas emociones siguieron atenazándole, tanto que cuando llegó a casa lloraba a lágrima viva. Cuando se lo contó a su alumno, este le dijo:

–Después del mal rato que has pasado, ¿por qué lloras ahora?

El monje contestó:

–Me he dado cuenta de que si yo hubiera tenido la familia de ese hombre y hubiera vivido lo mismo que él, el de la pistola sería yo.

EL DON DE LA DESESPERANZA

Recuerdo que cuando mi mujer, Sandy, llegó a urgencias tras mi accidente, le dije:

–Estoy muy malherido y no me curaré nunca.

Luego pasé mucho rato llorando. Sentía tanta desesperación y tanta impotencia que necesitaba opciones: le dije a mi familia que aguantaría dos años y después decidiría si seguir adelante o no. Con aquello me hacía ilusiones de ejercer cierto control sobre una vida que ya no controlaba.

Al cabo de esos dos años me metí en el dormitorio y mantuve una profunda y reflexiva conversación con… bueno, no sé. ¿Dios? ¿Mi dios? ¿Mi realidad? En cualquier caso, la conversación se desarrolló más o menos así:

–Vale, seguiré si puedo albergar esperanzas de volver a andar.

Y lo que oí en respuesta fue:

–Nanay. De esperanzas nada. Vive o muérete. Elige.

Así que pregunté:

–¿Y esperanzas de sentirme algo mejor? (Mi salud era tan delicada que solo quería saber si me fortalecería y sería capaz de combatir las infecciones).

Y obtuve la misma contestación:

–Vive así o no vivas. Esto no va a cambiar.

A cada pregunta, la misma réplica.

En ese momento no lo entendí; la comprensión llegó después. En ese momento lo que sentía era confusión y ganas de discutir. La vocecita interna repetía:

—Ay, mierda, ¿y ahora qué?

El plazo de dos años había expirado; intenté hacer un trato, encontrar una salida, conseguir una chispa de esperanza en la mejoría. Pero, por supuesto, no hubo promesas. Ni esperanza. Y yo tenía pendiente una decisión.

Elegí la vida.

No la elegí porque fuese un héroe. De hecho, al principio estaba bastante seguro de que, si hubiera tenido valor, me la hubiese quitado. Después me dije que la elegía por mis hijas; pero ahora, en retrospectiva, creo que fue porque eso es lo que hacemos. Si nos dan a elegir, elegimos la vida.

Ese fue un gran descubrimiento. Sin embargo, cuando miro atrás, hice otro tan importante al menos como el primero, y fue el don de la desesperanza. Jamás hubiese elegido la vida si hubiera albergado la menor esperanza de vivir como deseaba. Cuando me libré de las falsas esperanzas, escogí lo que había.

Ten en cuenta que esta gran revelación no se habría producido si no hubiera estado precedida por el momento "ay, mierda". Creo que nos pasa a muchos de nosotros. Sufrimos periodos de profunda desesperación. Nos preguntamos: "¿Cómo voy a vivir con esto?". Pero después, si somos afortunados, llegamos a entender que es imposible reclamar la vida que vivíamos. Este preciso instante (y los sucesivos) constituyen nuestra auténtica vida.

❧

He tratado a mucha gente que se enfrenta a la desesperación, y a muchos que no le plantan cara hasta el último minuto.

Harold era un hombre que estaba en forma; le gustaba esquiar, montar en bicicleta y reformar su casa. Cuando vino a verme, llevaba varios años con un fuerte dolor de espalda, lo que no le impedía vivir plenamente. Pero el dolor había empeorado. Harold consultó a varios médicos y todos le recomendaron operarse. Hizo muchas pesquisas para buscar alternativas, pero acabó por aceptar.

Casi inmediatamente después de la operación el dolor de espalda disminuyó, pero Harold perdió la movilidad de una pierna. El cirujano le dijo que se debía a la inflamación de la columna, que esa inflamación remitiría y que era probable que recuperara la movilidad; el internista estuvo de acuerdo. Le aconsejaron ponerse un aparato ortopédico, caminar con bastón, instalar barandillas y reducir la actividad física. Pero él no les hizo el menor caso porque albergaba la esperanza de vivir como antes.

Al tratar de mantener su actividad física, se cayó varias veces. Estaba frustrado. Siempre que iba al médico le decían: "Hay posibilidades", pero él se deprimía cada vez más.

Por último, su internista le dijo: "Si ya no ha recobrado la funcionalidad, lo más seguro es que no la recupere nunca".

Cuando se quedó sin esperanzas, Harold sintió la desesperación que había acechado siempre en su interior. Y ese fue su momento de: "¿Cómo voy a vivir con esto?".

Pero, según me dijo, también se sintió aliviado cuando su médico le dejó sin esperanzas. Sin esperanza, podía llorar su pérdida y enfrentarse al futuro. ¿Su gran descubrimiento? Que no tendría que preguntarse cómo iba a superar su restricción física, porque ya lo sabía, llevaba viviendo con ella dieciocho meses. Y al abandonar la lucha, conseguiría todos los artilugios necesarios para facilitarle la vida. Me dijo que había descubierto su capacidad de adaptación, y que albergar esperanzas podía ser bueno o ser contraproducente.

Hace algunos años traté a una mujer, llamada Caroline, diagnosticada de un cáncer metastatizado. Decía que en cuanto le comunicaron el diagnóstico sintió dos cosas:

—Primero un terror abyecto —*¡ay, mierda!*— y después, con claridad meridiana, lo que quería hacer: pasar más tiempo con la gente que amo y no volver a mi trabajo nunca más.

Me contó que los seis meses siguientes los pasó luchando con el "¿Y cómo voy a vivir con esto?". Lo hizo atacando el cáncer por todos los frentes y recorriendo el país en busca de distintas opiniones. Mientras tanto fue capaz de seguir trabajando, pero pasaba poco tiempo con sus seres queridos.

Por último, después de ver a su médico y enterarse de que, a pesar de todos los tratamientos, el cáncer continuaba extendiéndose, perdió la esperanza. Como Harold, y como yo, abandonó la esperanza de recobrar su vida pasada, pero también hizo su gran descubrimiento: ya podía retomar su vida actual. Dejó el trabajo, pasó más tiempo con la gente que amaba, incluso se dedicó a leer para los niños de un centro de día del vecindario.

La esperanza se refiere siempre al futuro, y no siempre para bien. A veces puede aprisionarnos con creencias o expectativas falsas. De forma similar, la desesperanza no se refiere siempre a la desesperación. Puede devolvernos a este mismo instante y responder las preguntas más difíciles de la vida. ¿Quién soy? ¿Dónde estoy? ¿Qué significa esto? ¿Y ahora qué?

Lo que he aprendido sobre el paraíso

Sé que mi parálisis no tiene cura; como mi calvicie. Pero aún así hablaba por teléfono con un médico debido a la infección de mi tracto urinario. Las anteriores se habían curado, y aunque esta era más complicada, di por supuesto que también se curaría.

Así que me alarmé bastante cuando me dijo:

—No creo que podamos curártela, Dan.

Las infecciones del tracto urinario son producto de las lesiones medulares, porque estas paralizan la vejiga. Normalmente, sufro varias al año que se curan tras dos semanas de antibióticos, pero esta duraba ya un año entero. Hasta les había dicho a mis amigos que iba a invitarla a una cena para celebrar nuestro primer aniversario.

Al teléfono, con lágrimas en los ojos, la bromita no me pareció ya tan divertida. Después de investigar un poco, descubrí que no se trataba de una condena a muerte. Pero sí debería tomar antibióticos durante el resto de mi vida. Y a largo plazo, los antibióticos rara vez son buenos para nuestro cuerpo. Esa llamada representó un nuevo capítulo de mi vida, uno que no tenía ninguna prisa por empezar.

❧

Creo firmemente en las coincidencias, y me vi envuelto en una muy afortunada cuando mi amiga Amy vino a visitarme dos días antes. En cierto momento me preguntó si creía en el cielo. Sin reflexionar lo más mínimo, le contesté:

—Sí. Estás en él.

Al ver la expresión perpleja que suelen provocar mis proclamas, decidí continuar:

—¿Cuántas probabilidades había de que aquel espermatozoide fertilizara aquel óvulo y se originara tu vida? ¿Cuántas probabilidades había de que vivieras todos los años que has vivido con relativa buena salud? ¿Y cuántas había de que conocieras a tanta gente que pudieras amar y a quien le importaras? ¿Y cuántas había de que por casi cualquier ventana que miraras vieras lo bella que es la naturaleza? ¿Hay cielo? Sí, no lo dudes.

Por supuesto, mi versión del paraíso no concuerda demasiado con la mitológica ni con las creencias de la gente. En este cielo en particular hay mucho dolor, mucho sufrimiento y muchas pérdidas. Pero en el fondo la mayoría sabemos que la vida (el paraíso) es preciosa. Basta con fijarse atentamente.

Margaret también lo sabía.

Conocí a Margaret, una mujer de sesenta y pocos años, en un grupo de parejas. Tenía cáncer. Al conocer el diagnóstico rechazó con mucha agresividad cualquier tipo de tratamiento. Después consultó a varios médicos y siguió por fin sus consejos: seguir el tratamiento y cambiar de vida. Al empeorar comprendió que se moría. Ella y su familia llamaron a una residencia para enfermos terminales. Todos reconocieron que probablemente no le quedaban ni seis meses de vida.

Ella estaba conforme. Casi desde el principio reflexionó sobre su vida y, cuando fue evidente que moriría pronto, dejó de resistirse. Tanto ella como su marido parecían estar en paz. Querían aprovechar al máximo el tiempo que les restaba, no yéndose de vacaciones, sino leyendo, comiendo y paseando juntos. Sabían que esos días compartidos eran preciosos.

Cuando Margaret ingresó en la residencia, un trabajador social fue a ver a la familia. En la fecha señalada, el empleado se encontró con Margaret, su esposo, sus tres hijos y unos cuantos vecinos. Poco después fui a visitarla. Los efectos de la enfermedad empezaban a hacer mella en su aspecto: su tez estaba cenicienta, sus ojos hundidos, su cabello lacio y apagado. Pero mientras me contaba la reunión, sus ojos brillaban y su rostro cobró una expresión casi angelical.

—Fui un momento al baño —recordó— y, al volver, pasé por delante de la lavandería y vi que alguien doblaba la ropa por mí —Margaret sonrió—. ¿Soy afortunada o no lo soy?

Claro que sí. Era afortunada por saber que lo era.

Si la muerte no existiera, no existiría la vida. No entenderíamos lo que significa vivir.

Tratamos de evitar la muerte por todos los medios porque la vida es preciosa. Por eso nos aferramos a ella con todas nuestras fuerzas. Por eso nos produce tanta ansiedad, y hasta ira, cualquier cosa que nos amenace o amenace a nuestros seres queridos. Pero he aquí la contradicción: si te esfuerzas *demasiado* para evitar la muerte, no tienes tiempo para sentir lo preciosa que es la vida. No eres capaz de sentirlo. Lo sabrás en tu cabeza pero no en tu corazón.

Durante unas vacaciones tuve la suerte de visitar el Gran Cañón del Colorado. No soy un escritor lo suficientemente bueno para describir el esplendor de aquel paisaje. Baste decir que cuando se ve por primera vez, lo normal es que se te salten las lágrimas. No de tristeza, sino de sobrecogimiento.

Al caer el día varios cientos de personas se reunieron para contemplar el lento descenso del sol tras el cañón. Todos esperaban en silencio mientras la naturaleza seguía su curso; al ponerse el sol, todos aplaudieron. Más sobrecogimiento.

Y entonces pensé: "Pero el sol se pone todos los días, en todas partes". Y es igual de esplendoroso se ponga donde se ponga. La única diferencia estriba en la actitud que adoptamos al mirar.

¿Cuándo se hará de día?

Más del noventa por ciento de los estadounidenses cree en Dios, pero ¿en qué Dios? Para algunos, Dios es quien se describe en la Biblia, un varón capaz de amar y de juzgar severamente. Su ira es mortífera y su ojo lo ve todo. Otros creen que es siempre amoroso y compasivo, una especie de pariente ideal. El letrero de la iglesia cercana a mi casa dice DIOS ES AMOR y quizá invirtiendo el orden sea verdad. Es posible que cuando sentimos amor, eso sea Dios.

Hay una plegaria judía que contiene la frase "Dios es uno". Tal vez quiera decir que cuando muchos se unen como uno solo, encontramos la divinidad.

¿Y yo qué creo? Según me dé. Hoy creo que todo el mundo lleva dentro un trocito de esa divinidad. Por eso podemos amar generosamente a otros, experimentar los sentimientos de humildad, gratitud y sobrecogimiento.

Otro precepto judío dice que al morir debemos entregarle a Dios una relación de los placeres de la vida en los que no hemos sido partícipes. Y Dios dirá algo así: "¡Eh, que yo construí esa belleza del Gran Cañón! ¿Por qué no has ido *al menos* a echarle un vistazo?".

Es decir, que el don de la divinidad conlleva ciertas obligaciones. Deberíamos contemplar y cuidar la belleza que nos rodea, porque formamos parte de ella.

Hace algún tiempo le escribí una carta a mi nieto, Sam, en la que trataba de hablarle de mi hermana Sharon, fallecida antes de nacer él. Al escribirla sentí de nuevo su pérdida, no solo la mía, sino la de la relación que Sam habría podido entablar con ella. Con esa carta quería revivirla de nuevo para que mi nieto pudiera conocerla de algún modo. Por eso le hablé del panegírico de su funeral.

Empecé a escribirlo cuando nos comunicaron que le quedaban pocos meses de vida pero, al acercarse su muerte, descubrí que ni siquiera podía leérmelo a mí mismo sin echarme a llorar. Me pregunté cómo iba a leerlo ante un montón de asistentes.

En el funeral se reunieron quinientas o seiscientas personas. Cuando me llegó el turno de hablar, rodé por el pasillo, me volví, me encaré con toda esa gente y, sin derramar ni una sola lágrima, les conté cómo era Sharon para mí. Les dije que se convirtió en mi mejor amiga y confidente, que siempre había sido mi modelo a seguir en cuanto a la dedicación y la integridad. Les dije que, en toda mi vida, nadie me había comprendido ni me había amado tanto y tan bien como ella, y que su pérdida me dejaría un vacío permanente. También les recordé las numerosas causas a las que había dedicado su vida, su apasionada defensa de Israel y de la libertad de los judíos oprimidos por todo el mundo. Había dedicado gran parte de su energía y sus recursos no solo a los derechos de las mujeres, sino a crear un mundo más justo para todos nosotros. Mi hermana entendía de verdad, más que la mayoría, el cuento del rabino jasídico.

Un viejo rabino jasídico preguntó a sus discípulos cómo se sabe en qué momento acaba la noche y empieza el día (la hora de rezar ciertas plegarias).

–¿Es el momento en que ves un animal a lo lejos y no sabes si es una oveja o un perro? –preguntó un discípulo.

–No –contestó el rabino.

–¿Es el momento en que miras un árbol y sabes si es un peral o una higuera? –preguntó otro.

–No –respondió de nuevo el rabino.

Tras algunos intentos más, los discípulos inquirieron:

–Entonces dínoslo, ¿cuál es?

–Es el momento en que al mirar cualquier rostro de hombre o de mujer reconoces a tu hermana o a tu hermano. Hasta entonces será de noche.

Nuestra orfandad

Hace poco estaba yo en la sala de espera de un médico, acompañado de dos pacientes que leían revistas en silencio, y entró en la habitación un hombre de mediana edad que, tras sentarse, rompió la quietud con un profundo suspiro. Como suele ocurrir en tales situaciones, nadie lo miró directamente, pero estoy seguro de que todos le oyeron.

Pasado un tiempo el hombre suspiró de nuevo.

Antes pensaba que al suspirar expresábamos una emoción: tristeza, ansiedad o estrés quizá, pero después me di cuenta de que significaba mucho más. Era una expresión social. El hombre de la sala nos estaba comunicando sus emociones, trataba de decirnos algo sobre sí mismo.

Me puse a pensar qué ocurriría si todos escucháramos con atención y él pudiera contarnos sus problemas. ¿Qué diría? ¿Cómo explicaría lo que ocurre en su corazón y en su cabeza? ¿Y cómo habríamos reaccionado los tres solitarios que lo acompañábamos? ¿Hubiéramos llegado a sentirnos más unidos?

❦

Un gran pensador dijo: "El niño sagrado es siempre huérfano". Pasé casi toda mi juventud y parte de mi madurez sintiendo eso mismo y tratando de repararlo transformándome en una persona mejor o distinta; pero no lo conseguí. El alma siempre será huérfana.

Para bien o para mal, es probable que la familia nos dé la primera impresión de quiénes somos. Después nos damos cuenta de que ella puede decirnos de dónde venimos, pero nadie nos dice quiénes somos en realidad ni qué hay en nuestro interior. Suspiramos por entender algo que jamás conseguiremos entender.

Al ser consciente desde la adolescencia del carácter intrínseco de esa soledad, pensé que si hacía algo muy diferente podría solucionarlo. Después, cuando me convertí en un tetrapléjico y me percaté de que era imposible, el dolor me resultó intolerable.

Con el paso de los años aprendí a soportar la sensación de que, en cierto sentido, siempre estaría solo. Nadie, ni mis padres siquiera, llegaría a entenderme del todo.

Entonces descubrí algo muy interesante. Yo no era el único que se sentía así. Conocí a personas con familias muy unidas, una intensa vida social, inmersas en comunidades o congregaciones que compartían la misma fe; pero ni siquiera con toda aquella aparente "conexión" dejaban de sentir que ciertas partes de su ser eran huérfanas y estaban tremendamente solas.

Ahora, cuando miro a mis semejantes y escucho sus suspiros y sus palabras, veo que todos sin excepción sentimos el dolor de la soledad y que muchos hacemos lo imposible por mitigarlo. Entiendo muy bien a la gente nostálgica y me siento profundamente unido a ellos. Por dentro somos muy parecidos. Esta es la danza del ser humano; suspiramos porque nos entiendan, porque nos vean de verdad, es un principio básico de la vida, pero al mismo tiempo sabemos que hay una parte de nosotros que nunca será realmente comprendida. En ello estriba uno de nuestros principales miedos: si me abro a otro por completo y me rechaza, ¿cómo voy a sobrevivir?

En uno de sus monólogos, el cómico Jackie Mason cuenta una conversación con su psiquiatra:

–¿Qué va a hacer usted?

El psiquiatra contesta:

–Ayudarle a comprender su subconsciente.

A lo que Jackie replica:

–¡Mi subconsciente es asunto mío!

Es divertido porque es verdad. Esa puerta nunca se abre del todo. A eso se debe que haya una barrera que nos separa de los demás. Casi nadie llega a conocernos por completo, ni siquiera nosotros mismos.

Pero ese monólogo es también triste. Cuando encerramos una parte de nosotros mismos, perdemos un modo de comunicarnos. Creo que en nuestro viaje deberíamos abrirnos poco a poco, al principio ante nosotros y después ante los demás. Sí, somos huérfanos, pero cuanto más nos descubramos, más unidos nos sentiremos.

Cuando pienso en cómo lograrlo, recuerdo vívidamente la entrevista que hice a la escritora Kristina Wandzilak en mi programa de radio. Kristina acababa de publicar una autobiografía titulada *The Lost Years (Los años perdidos)* en la que narraba el descenso a los infiernos provocado por su adicción a las drogas. Kristina empezó a drogarse a los trece años y pasó los diez siguientes en la calle; fue violada y se prostituyó para costear sus adicciones.

Al entrevistarla contaba treinta y cinco años. Hacia el final de la entrevista le pregunté qué sintió al saber que su marido descubriría detalles de su pasado descritos de forma tan gráfica. Ella me dijo que había temido durante años que alguien descubriera su lado oscuro.

–Temía que dejara de quererme –respondió respecto a su esposo.

Me contó que tuvo el corazón en un puño mientras él leía el manuscrito. Al descubrirle aspectos ocultos de su personalidad, sintió que, literalmente, le desnudaba su alma. ¿La seguiría amando después? ¿La rechazaría?

Cuando acabó de leer, su marido le dio la enhorabuena con lágrimas en los ojos y le dijo:

–Te amo. Ahora más que nunca.

Luego pensé en el gran riesgo corrido por Kristina. Pocos nos atreveríamos a revelar tanto, pues tememos que nuestra parte oculta sea inaceptable. Hasta cuando escuchamos las palabras "Te amo", muy en el fondo nos decimos "¡Si tú supieras!".

Vivo solo. La mayor parte del tiempo no me siento solo. A veces sí. ¿Dónde estriba la diferencia? Puedo especular sobre los factores que contribuyen a mis días solitarios, pero no creo que me sirviera de mucho. Después de todo, puede ser que suspire por alguien o algo que he perdido, o puede ser simplemente que tenga la serotonina un poco baja. Por eso, cuando me siento solo, hago lo mismo que he hecho durante veinte años: lo admito. Soy consciente de que sufro y me limito a sufrir. Nada más. No es placentero pero, como cualquier otra emoción, se pasa. Sin embargo, si me diera por resistirme, por compadecerme, por enfadarme con la gente que no me llama o por aferrarme a los amigos o los parientes, esa soledad duraría mucho más.

A menudo, cuando dejo de meditar, veo una ardilla por la ventana y advierto lo que tenemos en común: la fuerza vital, este trajín para lograr un poco de seguridad, para seguir adelante. A veces siento que formo parte del universo, y soy una parte tan esencial que puedo conectar con algo muy próximo a la divinidad: en mi interior, en la orfandad, en el infinito… no lo sé ni me importa; pero cuando ocurre no me siento solo.

La relación íntima con un Dios bondadoso ayuda a muchos a mitigar la soledad. Pero, hasta sin el componente religioso, sentirse conectado con el ancho mundo produce el mismo efecto. Si prestas atención a la fuerza vital del mundo que te rodea, acabarás por verte como parte de él, y quizá puedas expandir esa sensación de pertenencia a tus semejantes, huérfanos como tú. Oirás sus suspiros, sentirás tristeza, pero no tendrás miedo.

El amor no siempre es bonito

Tras romperme el cuello pasé en el hospital más de un año. Cuando por fin volví a casa, esperaba que Sandy y yo pudiéramos retomar algo parecido a una vida normal. Pero en los dos primeros años hubo veces (demasiado a menudo) en las que hacíamos planes que no podíamos llevar a cabo porque me encontraba demasiado mal.

Me acuerdo del día en que estábamos invitados a una fiesta en el chalet de unos amigos. Ali y Debbie estaban muy ilusionadas. Nos montamos en la furgoneta y allá que fuimos; poco después resultó obvio que yo no podía seguir. Tuvimos que volver a casa. Ali, muerta de decepción, soltó: "¡Te odio, papá, por romperte el cuello y fastidiarme la vida!".

Yo me eché a llorar, porque *le había* fastidiado la vida.

Hasta bastante después no advertí que mi hijita había hecho algo notable: se sentía tan segura que podía manifestar abiertamente su enfado. Y, como la mayoría de los padres, supe que mi amor por ella me bastaba para sobrellevarlo.

Cuando los hijos son pequeños es inevitable que pronuncien las palabras "te odio" después de que perpetremos alguna felonía. Si toleramos su ira y confiamos en que será pasajera, se sentirán seguros cuando experimenten emociones intensas. Por supuesto tendremos que enseñarles cuándo deben expresarlas y cuándo no, pero nuestro amor es un contenedor con suficiente tamaño como para permitirles que las digan en voz alta.

Sentí ansiedad y preocupación después, cuando, en la adolescencia, mis hijas se lanzaron a toda clase de conductas de riesgo. Más difícil que demostrar mi preocupación era admitir la ira que sentía. No hacia ellas exactamente. En el fondo sentía rabia por lo que mis propias hijas estaban haciendo a esas mismas hijas que tanto amaba.

En la adolescencia, cuando se metían en tantos líos, pensaba que no era más que otro padre protector intentando cuidar de su progenie. Tenía demasiado miedo para darme cuenta de que el problema no solo estribaba en su vida, sino en la mía.

De algún modo, la ira intensa contra nuestros hijos parece peligrosa e ilícita. En la educación basada en la confianza no hay cabida para sentimientos como la indefensión, la confusión o la impotencia. Y desde luego la mayoría de nosotros no nos damos permiso para sentir rabia hacia nuestros amados vástagos. Pero el amor que sintamos por ellos debe ser lo suficientemente grande como para contener sin problemas esos sentimientos incómodos, los suyos y los nuestros. De hecho, el contenedor debe ser inmenso.

Llegó un momento en que el comportamiento de mi hija de dieciocho años, Ali, me causaba todo tipo de desazones. Me sentía incapaz de controlarla y, lo que era peor, de controlarme. La amaba pero, al mismo tiempo, estaba tan atemorizado y tan disgustado que apenas podía sentir el amor y la admiración que me inspiraba. Lo único que podía sentir era ansiedad e ira. Se me había cerrado el corazón y no quería que ella lo supiera.

Si yo apenas podía soportarlo… no digamos mi preciosa hija. Lo que es más, nuestra relación era muy frágil y yo no quería que Ali se distanciara aún más (años después descubrí que Ali no consideró jamás que nuestra relación fuese frágil).

Yo luchaba contra esos sentimientos y me sentía especialmente incómodo con los negativos, pero enseguida tuve un recordatorio de que los sentimientos encuentran su propio modo de expresarse.

Un fin de semana, cuando Ali vino a casa de visita, notó que había una gran foto enmarcada de su hermana, Debbie, en el vestíbulo. Poco antes los padres de un amigo de Debbie se ofrecieron para ampliar esa foto y enmarcarla, y yo la colgué en el vestíbulo todo orgulloso. Era la primera vez que Ali venía a casa desde entonces y la primera vez que veía la gran foto de su hermana. La suya también andaba por allí, pero era mucho menor.

Y ocurrió que Ali estaba con el ánimo peleón.

–Oye, papá, ¿por qué tiene Debbie el privilegio de una foto tan grande y yo no?

Sin pensarlo siquiera, contesté:

–Porque en la actualidad Debbie es una niña formalita ¡y tú eres como un dolor de muelas! Puede que la semana que viene tú estés en la foto grande y ella sea el dolor de muelas.

Ali se rio y dijo:

–Sé que soy como un dolor de muelas.

Dije lo que dije en tono risueño, pero al oírme supe que esos eran los sentimientos contra los que luchaba. En esa etapa de mi paternidad, Ali hacía que me sintiera atemorizado e impotente mientras que Debbie me daba seguridad. Odiaba lo que Ali me hacía sentir, pero al reírse y reconocer lo difícil que era, cada fibra de mi cuerpo quiso que la estrechara entre mis brazos y le dijera que la adoraba.

También me di cuenta, en ese momento, de que mi más profundo anhelo consistía en que ella me asegurara que estaría bien, que se cuidaría en esa etapa de su vida y que volvería cuando la acabara. En ese sentido, necesitaba que ella cuidara de mí, porque tenía mucho miedo. Por desgracia, no conseguí la fuerza ni la claridad necesaria para decírselo hasta muchos años después. Una década después el retrato de Debbie fue reemplazado por la foto enmarcada de Ali y su socio, que salieron el año pasado en la cubierta de una revista veterinaria.

Por entonces mi ira recaía sobre Debbie pero, en esa ocasión, mi conciencia se me apareció en sueños.

Tras divorciarme de Sandy, Debbie pasaba mucho tiempo en mi casa mientras que Ali lo pasaba en la de su madre. Todos nos sentíamos mal, pero yo trataba de fingir una especie de normalidad; es decir, seguía yendo a trabajar a diario pero procuraba volver pronto para estar con Debbie lo más posible. Necesitara el tiempo y los ánimos que necesitase, pensaba proporcionárselos, aunque estaba agotado en todos los sentidos.

Una noche, cuando volví a casa, Debbie miraba la televisión; yo le pregunté:

−¿Cómo estás?

Ella empezó a quejarse del día tan duro que había pasado y yo no encontré la energía necesaria para compadecerla. Escuché, dije algo e intenté escuchar un poco más, pero me costaba oírla. A pesar de lo mucho que me esforzaba, sentía que había fracasado al proteger a mi hija. Y, como a la mayoría de los humanos, no me gustaba sentirme un fracasado. En cuanto pude le dije que estaba hecho polvo y me fui a la cama.

Esa noche soñé que Debbie y yo habíamos hecho algo malo y estábamos en la cárcel, pero yo salía y ella no. Yo seguía con mi vida mientras ella seguía encerrada en una celda.

Por la mañana recordé el sueño y me percaté de su significado. Había encarcelado a Debbie para no tener que preocuparme por ella nunca más. Así enjaulaba mi agresividad contra ella, por agotarme, por provocarme sentimientos difíciles.

Eso me aclaró aspectos de mi ira. Pude haber soñado con abandonarla en un lugar cómodo y bello, pero no lo hice. En lugar de eso, la metí en la cárcel. ¿Y por qué delito? Supongo que por extenuarme. A pesar de mi amor por ella y mi deseo de aliviar su dolor, estaba furioso porque sentía indefensión e impotencia. Y le echaba la culpa (como me recordaba el sueño) de mis sentimientos.

Pero he aquí lo curioso de mi sueño con Debbie y, antes, de las palabras sarcásticas que le dirigí a Ali: poco después caí en la cuenta de que lo que contenía de mi amor por ellas era lo bastante grande como para tolerar mi rabia y mi miedo. Sí, a veces sentía ira al pensar en todo lo que podrían haberme evitado (la misma que sintieron ellas hacia mí después de mi accidente), pero luego entendí que nuestro amor era suficientemente grande para tolerar la rabia, la frustración y las lágrimas. El amor que nos profesamos no siempre es bonito. Gandhi decía que el amor era "patrimonio de los valientes", y hace falta valor para aceptar la posibilidad de ser vulnerable, de resultar herido, de sentir mucho miedo por nosotros mismos y por quienes amamos. El amor puede ser complicado y confuso. No siempre es cálido ni estable. Pero siempre es íntimo y básico: la urdimbre del tejido de nuestras vidas.

Fe

❧

En una charla para un grupo de gente joven, conté que había leído que solo el veinte por ciento de los judíos de Egipto siguió a Moisés a la Tierra Prometida. Un joven comentó de inmediato:

–Increíble, ¿pero qué les pasó a los que le siguieron? ¡Que murieron en el desierto!

Bueno, quizá llevaba razón. Es verdad que la mayoría murió, Moisés incluido, pero yo le desafié:

–¿Y quiénes acabaron en la Tierra Prometida? Sus hijos, por supuesto. Es probable que el acto de fe de ese veinte por ciento se debiera a que pensaban en el futuro de sus hijos, de su gente. Se consideraban una pequeña parte de algo mucho más grande.

En una época muy complicada de mi vida, después de la muerte de mi hermana Sharon, soñé con tres hombres que fabricaban una mariposa que parecía de visón. Me decían:

–Esta es tu alma. Si deseas ser una persona completa debes tragártela.

Yo los miraba y respondía:

–No puedo, es una mariposa viva.

–Debes hacerlo para ser un todo –dijeron.

Yo me metí la mariposa en la boca, pero ella empezó a aletear y me la saqué otra vez.

–¡No puedo hacerlo! Me atragantaré… me moriré.

–Eso tampoco importa –replicaron–. Debes tragarla para ser un todo.

Respiré hondo; cuando la mariposa revoloteaba por mi garganta me desperté.

Aquel sueño me hizo preguntarme de dónde provenía mi fe. Cuando los tres hombres me pidieron que me tragara la mariposa, los desafié y me negué, pues temía por mi vida. Pero ¿a qué se debió que acabara aceptando? ¿Fe ciega? ¿Creía lo que decían, obedecía sus órdenes?

No me pareció nada de eso, simplemente me dejé llevar. Tragar la mariposa era imposible, arriesgaría mi vida. Pero tras contradecir a los hombres, me abandoné a mi suerte.

Después pensé que eso es precisamente lo que debemos hacer. Para ser un todo, hemos de integrar nuestra divinidad en nuestra humanidad, y eso requiere un acto de fe. Y en ese acto de fe, el ego puede morir. Quizá la mariposa sea más importante que nuestras teorías, nuestras creencias o incluso nuestra identidad.

¿De dónde sacamos la fe necesaria para arriesgarnos? Creo que todos nacemos con ella. Piensa en la fe de los bebés y los niños. Tienen fe ciega en que los cuidarán y los protegerán. El tiempo y la experiencia erosionan esa confianza, por supuesto, y entonces es cuando los hijos buscan algo a lo que aferrarse: una causa, una religión, un sistema que mitigue su ansiedad y su inseguridad. Como humanos que somos, buscamos alivio donde podemos. Pero la sabiduría está ahí: en nuestro interior.

¿Podemos confiar en ella? Si no confiamos en la fe que viene de dentro, confiaremos en fuentes externas de fe para buscar consuelo y mantener a raya a nuestros demonios.

Debbie me enseñó mucho sobre la fe interior —la suya y la mía— cuando contaba veinte años y cursaba segundo en la universidad. En esa época parecía estar pagando las consecuencias de los traumas vividos.

Francamente, muy en el fondo, empecé a preocuparme por ella cuando iba al instituto. Había pasado por el cáncer de la madre, la tetraplejia del padre y el gran estrés y la gran confusión de la familia. Poco después de nuestro divorcio, sufrió la época en que su madre se volvió imprevisible. Y durante todo aquello siguió manteniendo la apariencia de "hija ideal".

Cuando estaba en la universidad, todo se fue a pique. Su compañera de cuarto llamó para decirme que el comportamiento de Debbie la tenía preocupada. Debbie vino a casa. Decidió tomarse un tiempo de descanso y vivir conmigo mientras hacía prácticas en Filadelfia, y empezó a salir con un grupo de gente que no me gustaba en absoluto.

Al ir desentrañándose las cosas, le hablé de mi preocupación y le dije que quería ayudarla. Como casi todos los jóvenes, al principio se resistió y trató de convencerme, y de convencerse, de que todo iba bien. Pero como todo empeoraba, un día me miró con lágrimas en los ojos y dijo:

—Papá, me siento como un diamante dentro de un tumor maligno.

En ese momento, casi inconscientemente, hice lo que hubiera hecho casi cualquier padre: movilizar todos los recursos de los que disponía para destruir el tumor. Durante un año arrastré a Debbie de acá para allá; busqué los mejores terapeutas y los mejores médicos para pedirles su opinión, para obtener el "enfoque correcto". Mi hija volvió a la universidad sabiendo que yo continuaría en la lucha.

Poco después recibí una llamada desde Washington, donde estudiaba.

Debbie me pidió que nos encontrásemos en un área de servicio de la I-95. Quedamos a una hora y, cuando llegué, ya estaba allí, sentada en un banco cercano al restaurante. Sentí una oleada de inquietud: ¡se la veía pálida y agotada!

Pero tuvo la fortaleza suficiente para tomar mis manos entre las suyas, mirarme a los ojos y decir:

–Has hecho todo lo que has podido para ayudarme. Te lo agradezco mucho, pero ahora mi vida depende de mí.

Me eché a llorar. Lloraba de tristeza, de desamparo, de miedo y, sí, de alivio.

Mientras conducía hacia casa sintiendo ese enorme alivio, recordé lo del diamante y el tumor. Cuando mi hija dijo: "Mi vida depende de mí", supe que era el diamante quien hablaba. Y supe que mi trabajo como padre consistía en ver siempre ese diamante, en seguir creyendo que estaba allí aunque no pudiera verlo ni oírlo. Yo debía nutrirlo, escucharlo, oír su voz entre el caos.

A nuestra sociedad le encantan los eslóganes del tipo: "Sé todo lo que puedas ser". Yo más bien diría: "Nutre el diamante". No se trata de buscar el éxito. Se trata de colaborar en el florecimiento, la eclosión.

En las palabras de mi hija de veintidós años (su aserto de que su vida dependía de ella) había algo muy similar a

lo que hubo en mi confrontación con Dios: vive o muérete. Debbie, consciente de su sufrimiento, sabía que lo que
hacíamos no le servía de nada. Sabía que, para sobrevivir,
debía tomar las riendas de su propia vida. Y tenía que de-
cidirse a decidir –como hice yo– si quería morirse o seguir
viviendo.

Al igual que yo, y como la mayoría de los seres humanos,
Debbie eligió la vida. Y en ese momento ignoraba lo que
significaba, lo que sería, lo que le depararía. Su elección fue
un acto de fe. El compromiso de vivir su vida –no la que
"supuestamente" debía vivir, sino su propia vida– nutrió el
diamante más que todo lo anterior.

Es el mismo camino que tomó Moisés: "Daré este paso
de fe e iré donde él me guíe".

En busca de la paz

Antes de una de las últimas Navidades me vi en la tesitura de escribir un artículo apropiado a esa época de paz y buena voluntad. Era una tarea de enormes proporciones, considerando que nos enfrentábamos a conflictos por todo el mundo, y en casa al terrorismo, la inestabilidad política y la inseguridad. Con tanto conflicto mundial por motivos religiosos, recurrí a las palabras de un defensor de la paz que se convirtió en símbolo de la no violencia, Mahatma Gandhi: "Nosotros debemos encarnar el cambio que deseamos ver en el mundo".

Me pregunté por qué tantos de nosotros trabajábamos tan duro toda la semana en busca de algún tipo de seguridad, y el fin de semana íbamos a nuestros templos un par de horas a rezar por la paz. ¿Qué pasaría si, por nosotros y nuestros hijos, hiciéramos lo contrario?

Estas preguntas se convirtieron en el tema de mi artículo.

En las ciudades y los pueblos de todo el país, nos matamos a trabajar para conseguir algún tipo de seguridad. Queremos mejorar nuestro futuro y el de nuestros hijos. Algunos trabajamos ochenta horas semanales o más para conseguir lo que podamos o conservar lo que tenemos. Mientras azuzamos a nuestros hijos para que sobresalgan en todo, ignorando su estrés (y el nuestro), intentamos lograr seguridad profesional y económica. En nuestra persecución sin tregua de ese logro, todos parecemos sufrir.

Aún así, cuando le pido a la gente que se pare un momento a reflexionar lo que desea en realidad de la vida, la mayoría contesta lo mismo. Quieren paz. Paz mundial, laboral, familiar e interior.

Eso es lo incomprensible. Trabajamos como burros para conseguir cosas que nos den seguridad, pero no nos esforzamos por lograr la paz que tanto ansiamos. Para obtenerla rezamos o deseamos o esperamos; y si intentamos hacer algo más práctico, solemos conseguir todo lo contrario.

Mirando el escenario del mundo a través del cristal de la historia humana, la búsqueda de justicia por medio de la agresión rara vez conduce a la paz. Solo a más injusticia.

En mi consulta veo casi a diario familias y parejas que luchan entre sí por una torpe búsqueda de justicia o equidad personal o marital. Creen que si encuentran justicia, descansarán en paz. Veo, por ejemplo, a una esposa tratando de convencer al marido de que pase más tiempo en casa y la ayude más, porque así la relación sería más equilibrada. *Entonces* se haría justicia; *entonces* estaría en paz (eso cree ella, al menos). Por supuesto, él exige lo contrario y piensa que si ella dejase de quejarse y lo aceptara tal como es, habría paz. Y la lucha continúa, por culpa de la insensata búsqueda de la paz a través de la justicia.

Como le ocurre a esa pareja nos ocurre a todos. Nos decimos que viviremos en paz cuando los demás cambien. ¿Y cuándo cambiarán? ¿Cuando escuchen por fin nuestros argumentos, o tengan una revelación, o sucumban a la agresividad?

¿Pero cómo es posible lograr así la paz? Tratar de cambiar a otros tiene mucho que ver con la intolerancia, motivo de gran animadversión. No podremos hallar la paz hasta que no ayudemos a los otros a encontrarla. No la conseguiremos ganando batallas, sino dejando de pelear.

Entonces ¿por qué no perseguimos lo que realmente queremos, estar con los que amamos y disponer de más tiempo para el descanso y el disfrute? Si queremos eso, el cambio puede empezar por ahí. En mis conferencias, una de las cosas que le pido a la gente es que pasen un día entero sin cotillear, sin decir nada negativo de nadie ni nada hiriente a nadie. Hazlo durante un día y fíjate en cómo te sientes después.

—Os lo aseguro —digo a los asistentes—, cuando acabe el día comprobaréis cuán conciliadores habéis sido.

Podría ser una forma interesante de empezar el cambio que deseamos para el mundo.

Nosotros, los heridos

Parece que los estadounidenses no se gustan demasiado.
¿Cómo es posible que no te ames a ti mismo cuando llevas
la naturaleza de Buda en tu interior?
El Dalai Lama, citado por uno de sus seguidores
en una de sus primeras visitas a Estados Unidos

En la universidad me enseñaron a reconocer los síntomas para diagnosticar las "enfermedades mentales". Me aprendí las etiquetas. En lo referente a diagnosis podía equipararme con mis mejores colegas; quizá aún pueda. Pero aquello no me ayudó a ser terapeuta. Todo lo que sé sobre psicoterapia lo aprendí después, cuando estudié las heridas y la forma en que nuestras mentes y nuestros cuerpos intentan curarlas, así como la influencia de amigos y familiares en el proceso.

Cuando nos hieren física o psicológicamente, todo lo que nuestro cuerpo o nuestra mente precisan es centrarse en la herida. Esa delicada zona necesita protección; por eso, si se trata de una herida física, las células corporales se aplican a la labor y forman una costra que cubre la piel y la protege. La psique también fabrica costras, aunque, por supuesto, no se vean. La costra de un espíritu herido puede construirse con ira, resentimiento, retraimiento o hasta depresión. Según la medicina china disponemos de un protector cardiaco: el elemento necesario para resguardar nuestro delicado corazón de las heridas emocionales, pero eso no cura las lesiones.

Si todo va bien con la psicoterapia, son estas heridas las que tienen más posibilidades de curación. ¿Cómo y cuándo? A su manera y a su debido tiempo.

Hipócrates decía que dentro de cada paciente hay un médico capaz de sanarlo. Gottlieb desearía añadir: "Esa moneda tiene dos caras: dentro de cada sanador hay un paciente herido que precisa cuidados. Es decir, a menos que los cuatro estén presentes, no vale".

Hace algún tiempo asistí a una reunión del consejo asesor del Centro de Servicios de Salud Mental, uno de los múltiples organismos del Ministerio de Salud y Servicios Humanos de Washington. Sentados a la mesa había treinta expertos nacionales e internacionales en psiquiatría y psicología. Asistían además jefes de departamentos de varias clínicas y hospitales.

Como en la mayoría de este tipo de reuniones, el lenguaje de los expertos era burocrático. Llamaban "proveedores" a los médicos y terapeutas, y "consumidores" a los pacientes. La discusión versaba sobre las necesidades de los consumidores.

Yo llevaba meses oyendo aquel lenguaje y siempre me inquietaba, así que, en aquella reunión en particular, acabé por preguntar:

–¿Por qué hablan de "consumidores"? ¿A quiénes se refieren cuando dicen *ellos*?

Pedí que alzaran la mano quienes no hubieran lidiado con la depresión o no hubieran sufrido jamás una ansiedad obsesiva. Les pregunté cuántos no habían visitado jamás a un terapeuta ni habían sido ellos mismos "consumidores". Estoy seguro de que mi popularidad cayó en picado en cuanto lo pregunté; pero, mientras mirábamos en derredor y nos mirábamos unos a otros, supe que había logrado mi objetivo: muy pocas manos se levantaron.

Es obvio que no hay un "nosotros" ni un "ellos". Conocíamos al paciente: éramos nosotros. No podíamos aparentar que aquella era una relación donde los proveedores (nosotros) estábamos a años luz de los consumidores (ellos).

Como terapeutas, debíamos confiar no solo en la idoneidad de la gente con quien trabajábamos, sino en la del procedimiento que usábamos. Curar es parte de lo que hacemos, pero solo parte. Las nuevas técnicas y la psicoterapia a corto plazo son muy efectivas para paliar los síntomas y yo se las recomiendo a mucha gente, pero lo que cura un alma herida es tanto *quienes somos* como *lo que hacemos*. Lo que cura es nuestra humanidad, no nuestra tecnología.

En una terapia, como en cualquier relación, necesitamos equilibrio, integridad y franqueza. Si pienso en mi adenda a la frase de Hipócrates, sé que, sentado ante mí, hay una persona herida y una persona sana. Y sé que ella y todos mis pacientes contribuyen en gran medida a dar significado a mi existencia. A cambio, yo les ofrezco compañía y compasión durante una etapa de incertidumbre. Y también les ofrezco el sincero deseo de entender sus vidas, la obligación de estar con ellos pase lo que pase en su existencia o en la mía.

Si uno de los objetivos de mi vida es comprender qué significa ser humano, esas personas con las que trabajo son los profesores en quienes más confío.

Es responsabilidad mía formular las preguntas que abren puertas a su interior, puertas que quizá no se han abierto nunca. Y también quiero que entiendan que la persona con quien trabajan puede ser simultáneamente un buen terapeuta (casi siempre) y un terapeuta muy herido. En mis tarjetas de visita no dice "psicólogo" ni "terapeuta familiar". Debajo de mi nombre pone simplemente "Humano". Esa es para mí la labor de la psicoterapia: ayudar a la gente a comprender y a sentirse cómoda con su propia humanidad.

En un momento de su propia terapia, Ruth, colega mía, advirtió que "la psicoterapia, como todo proceso espiritual, no consiste en conceptos o técnicas. Consiste en quién somos para el otro, y esto vale tanto para el paciente como para el terapeuta".

Ruth lo escribió poco después de visitarme. Recuerdo bien la sesión. Habló de muchas cosas; deseaba más paz y felicidad en su vida, deseaba que su hija tuviera menos estrés, deseaba menos conflictos con su ex marido. Vi cuánto dolor había soportado y casi pude sentir la herida de su corazón oculta tras aquellos anhelos. Gracias a sentir su padecimiento, experimenté un gran afecto y una enorme pena por ella. Y supe que eran sus vehementes deseos los que impedían el proceso natural de curación.

Antes de irse, Ruth se detuvo en la puerta. Yo dije:

—No desees nada.

Cuando pronuncié esas palabras —espontáneamente— fue en parte por mi deseo de acabar con su sufrimiento y en parte por un deseo egoísta de que supiera lo muchísimo que me importaba en ese momento.

¿Y cómo se lo tomó ella? Su primera respuesta, como escribió más adelante, fue sarcástica:

–¿Qué no desee nada? ¡Claro, eso se nos da muy bien al Dalai Lama y a mí!

Pero luego reflexionó: "Las palabras rebotaban por mi cerebro como un *koan zen*. Aún están conmigo, sin respuesta, penetrando en capas muy correosas de mi ser".

Un amigo que seguía una terapia de larga duración, me dijo un día:

–Dejo la terapia.

Cuando le pregunté por qué, respondió:

–Porque me siento mejor conmigo mismo. He mejorado un setenta por ciento, y estoy harto de hablar todas las semanas de lo que tengo de malo.

Eso lo dice todo de la psicoterapia. Muchos creen que si hablan lo suficiente sobre lo que les hiere, el dolor acabará por desaparecer. La cosa no funciona así. No podemos escarbar continuamente en la herida y esperar que se cure. La costra debe caerse, y nosotros necesitamos confiar en que la herida se curará sola si el ambiente es saludable.

¿Qué es un ambiente saludable? En terapia, nos referimos a una relación donde haya confianza mutua, donde haya compasión por el otro. La relación es muy íntima, pero tiene límites. El terapeuta cree en la entereza de su paciente. Cuando este confía en el proceso, no necesita escarbar en la herida. La fe, la confianza, crea el ambiente propicio para la curación.

Lo que nos enseñan
nuestros hijos

Una vez vi una pegatina de parabrisas que decía LA ENFER-MEDAD MENTAL ES HEREDITARIA. TE LA PEGAN TUS HIJOS. A veces creo que es verdad; pero lo contrario también. Nuestros hijos pueden enseñarnos muchas cosas.

Cuando mi hija Ali acabó la carrera, a los veintidós años, vino a casa con su novio, Geoffrey. Salía con él desde que estudiaba en el instituto, y su familia vivía a menos de dos kilómetros. Ali y Geoffrey fueron a universidades que distaban varios kilómetros, pero yo sabía que pasaban juntos los fines de semana. También sabía que pensaban vivir juntos, pero en aquel momento Ali me formuló la pregunta que los padres –en especial los que viven solos– preferirían no escuchar jamás:

–Papá, ¿puede quedarse Geoffrey a dormir?

Me quedé mirándola… desconcertado. En los segundos siguientes me rondaron por la cabeza un montón de cosas. Pensé en la integridad, en el bien y el mal, en la hipocresía. Luego miré la cama vacía que estaba a mi lado, con la esperanza de que reapareciera la madre de mi hija con la respuesta adecuada. Después traté de deshacerme de todas mis angustias para dar con una contestación. Y fallé.

–Ali –dije–, es la primera vez que educo a una hija de veintidós años y no tengo ni idea de qué debo hacer.

–Gracias, papá –replicó ella–. No te preocupes. Yo me encargo de todo.

Geoffrey se quedó a dormir y, como era de esperar, estuvimos tan a gusto.

Los niños tienen una maravillosa capacidad de adaptación. Como a casi todos los padres, me preocupaban los problemas con los que deberían lidiar mis jóvenes hijas, hasta que descubrí que reaccionaban ante las dificultades mucho mejor de lo que me esperaba. Ellas me enseñaron, a pequeña y gran escala, un montón de cosas sobre la adaptación, la curación y la devoción.

Tras mi accidente pasé en el hospital muchos meses. Cuando por fin volví a casa, mis hijas se acercaban a mi cama para verme. Ambas eran pequeñas y, desde mi encamado estado, me preocupaba que vieran la bolsa de orina: quería evitarles eso, al menos. Antes de que entraran en la habitación, me aseguraba de cubrirla con una manta.

Pasado un tiempo me volví descuidado y dejé de esconderla. Cada vez que entraban la veían al costado de la cama, pero no comentaban nada. No había forma de saber si las inquietaba o no.

Una mañana en que me desperté tarde, Ali ya había entrado. Esperaba junto a la cama, mirando la bolsa de hito en hito. Cuando abrí los ojos, ella alzó la vista:

–¡Papi! –exclamó con un punto de asombro–, ¡esta noche te has *meao* como una catarata!

Mis hijas me han enseñado mucho sobre la adaptación. De niña, Debbie se sentaba en el regazo de su madre cuando

Sandy iba a sus sesiones de quimioterapia. Desde entonces a Debbie le han dado pánico los vómitos y los microbios pero, además de en una mujer extraordinaria, se ha convertido en una de las mejores madres que tengo el honor de conocer. Ha encontrado el amor y la dicha. Con el tiempo (y un montón de toallitas antisépticas) la herida se curó, dejando solo el tejido cicatricial.

La infancia de Ali estuvo llena de animales. Confiaba en ellos más que en las personas, porque las personas le hacían daño y ellos no. Cuando contaba dos años, su madre estuvo fuera de servicio durante un año entero debido al cáncer; cuando contaba cinco, su padre se pasó otro año en el hospital. Así que, a pesar o gracias a esas heridas ha llegado a ser una veterinaria muy respetada (y con mucha empatía).

Si hubiera podido evitarles las cosas que pasaron en su infancia, lo hubiese hecho. La enfermedad y el desamparo las hirieron profundamente, y en la adolescencia sufrieron el divorcio de sus padres. Sí, mis hijas estaban marcadas por los traumas, y me sigue doliendo en el alma que así sea; sin embargo, no se desmoronaron.

Nunca hubiera elegido esa infancia para ellas pero, a veces, algo que parece malo, o que parece bueno, puede no serlo. No hay forma de saberlo.

Aquellas niñas me enseñaron que seguían su propio camino, no el mío. ¡Y cómo disfrutaba mirándolas! (sé que en realidad no me hubiera gustado verlas seguir mis pasos: ya me sabía esa película). Es un gozo consultarle a Ali mis problemas médicos (o los de mis animales), o pedirle a Debbie que corrigiese el borrador de un artículo con el que llevo horas peleando. Me produce un gran placer el modo en que se inclina lentamente la balanza respecto al cuidado y la responsabilidad; yo sigo preocupándome por ellas, pero ahora ellas hacen lo mismo por mí. Y me produce un enorme deleite asustarlas con mis ocurrencias, del tipo de visitar Israel al final de la Intifada o volar en helicóptero sobre el Gran Cañón. Les digo que es para resarcirme de sus barrabasadas adolescentes. Su nuevo mantra consiste en: "Recuerda, papá: que *puedas* hacer una cosa no significa que *debas* hacerla".

Sí, hubo mucho sufrimiento en su infancia, y yo fui incapaz de evitárselo, pero también de esa incapacidad para protegerlas he aprendido. Por cómo han sobrevivido y se han adaptado, mis hijas me han enseñado algo sobre el amor: que amar es más sencillo si creemos en la capacidad de recuperación del espíritu de nuestros hijos.

CÓMO EDUCAR
A LOS HIJOS ADULTOS

❧⚬❧

Ali, mi hija mayor, *durmió* a su adorado Morris hace dos semanas. Morris, un perro increíblemente dulce, fue su compañero fiel durante nueve años.

Ali no tiene hijos humanos, sino animales, y es la madre más amante y más devota que pueda imaginarse. Por eso, cuando Morris empeoró, su dolor subió como la espuma y el mío también. Para Ali, ese perro era como un hijo, así que su pérdida significó un mundo para ella y para mí.

Me dolía muchísimo y solo deseaba consolarla, pero Ali prefiere llorar sus penas en la intimidad. Se cerró en banda. Hablé con ella una vez cuando Morris estaba a punto de morir, y el dolor de mi hija era palpable. Le pregunté si quería que fuera a su casa para hacerle compañía, y me contestó que ya me llamaría si lo necesitaba. Cuando la llamé dos días después me enteré de que había *dormido* a Morris dos horas antes. Ali lloraba y se disponía a llevar los restos al crematorio. Le ofrecí de nuevo mi compañía. Volvió a rechazarla. Dos días después, cuando la llamé para ver cómo estaba, dijo que prefería no hablar del tema.

Fue muy duro ver sufrir a mi niña y no ser capaz de rodearla con mis brazos y dejar que llorara sobre mi hombro. Cuando era pequeña y lo hacía, ambos nos sentíamos mejor, pero ya de adulta, solo yo me hubiera sentido mejor. Tenía que amarla como ella quería que la amase, y lo importante eran sus necesidades, no las mías. Sí, era duro.

Pero las normas de Gottlieb para educar a los hijos adultos son muy claras: respetar su integridad y su autoridad sobre todas las cosas; creer en que todo lo que queramos decirles, ya lo saben; ofrecer ayuda desinteresadamente y en forma interrogativa: "¿Quieres que...?" o "¿Puedo ayudarte?"; ocuparnos personalmente de nuestra impotencia y nuestro miedo, sin descargarlos sobre ellos; no aconsejar jamás sin pedir antes permiso (norma aplicable también a los adolescentes).

La hija de una amiga mía empezó a tomar drogas en el instituto, se refugió en la promiscuidad y fracasó en los estudios. Hasta cumplir los veintidós años estuvo entrando y saliendo de centros de rehabilitación, y vivía con unos personajes desagradables en un barrio peligroso. Mi amiga no paraba de intervenir: llamadas diarias, orientación profesional, programas de rehabilitación... Todo fracasó. Por fin la hija le dijo que no volviera a llamarla; si quería hablar con ella, sería ella quien la llamara.

Mi amiga estaba angustiadísima. Su hija arriesgaba la vida y ella no podía hacer nada; pero, aunque se trate de cuestiones de vida o muerte, las normas son idénticas. Mi amiga no tiene otra que amar a su hija a distancia, bregar con su impotencia y respetar que ella controle su propia vida.

¿Difícil? Demonios, sí. Lo sé.

LO QUE HE APRENDIDO
SOBRE EL ANHELO

No es raro que esté solo en casa durante largos periodos de tiempo. Llego muy bien a todas partes y puedo atender mis necesidades básicas pero, si algo va mal, no hay nadie para ayudarme.

En aquel día en particular tenía cierto apetito y, como guardaba una bolsa de galletitas saladas en el cajón de los tentempiés, rodé hasta la cocina. El cajón queda medio metro por debajo de mi silla de ruedas, por lo que debo inclinarme para abrirlo. Torciéndome hacia un lado y usando el pulpejo de la mano, pude agarrar la bolsa de plástico y deslizarla piernas arriba. Cuando estaba a punto de dejármela en el regazo, se cayó y las galletitas se desparramaron por todas partes.

En ese instante el ligero apetito se transformó en hambre canina; estaba seguro de que no aguantaría otras dos horas sin comer. Después me sentí furioso por tanta humillación y tanta injusticia... lo que dio paso a la autocompasión. Y entonces lo entendí: lo que sentía era más fuerte que cualquier apetito real: era deseo vehemente, era anhelo. Mientras estaba en la cocina mirando las galletitas perdidas, "vi" saltar ese anhelo de mi estómago a mi cabeza.

Hace unos diez años releí *Siddhartha*, de Herman Hesse, un libro que leí por primera vez cuando era joven.

La interpretación del autor sobre el despertar de Buda es más o menos la que sigue. Buda era un principito mimado y consentido. Un día en que vagaba por las afueras del palacio descubrió los abismos del sufrimiento humano. Le afectó tanto que decidió dedicar su vida a entender ese sufrimiento y a encontrar el modo de aliviarlo.

Para ilustrarse, vivió con varios grupos de personas sabias, como los ascéticos, que se privaban de alimento, sueño y otras cosas que nosotros consideramos básicas a fin de conseguir la ansiada sabiduría.

Desde que lo leí por primera vez no he dejado de preguntarme dónde está el mérito de ese sufrimiento impuesto y, al releerlo años después, sigo sin entenderlo del todo. Pero aquel día en la cocina tuve una revelación: el propósito de las privaciones es aprender a soportar el anhelo.

¿Qué quiero decir?

En la consulta veo todos los días a gente que anhela algo (supongo que si no anhelaran nada, no me llamarían, para empezar). Oigo que desean ser distintos de lo que son. Oigo a maridos que desean más sexo y a esposas que desean más cariño. Oí decir a una joven cómo deseaba que su madre la apoyara frente a su estricto padre. En otra sesión, oí a un padre desear que su hijo se esforzara más y se comportara mejor. Y todo el que ha sufrido un trauma o una pérdida anhela estar como antes.

Tras mi accidente, lo único que quería era andar. No ocurrió. Luego lo único que quería era recuperar alguna sensación. Nada. Después, lo único que quería era ser capaz de mover los dedos. Pues no. Reduje mis peticiones hasta el punto en que lo único que quería era hacer pis por mi cuenta. ¿Y sabes qué? Que tampoco.

Creí que rebajando mis exigencias tendría más posibilidades de conseguir alguna. Pero, no, no logré ni una sola.

Entonces entendí lo que me contó la mujer de un alcohólico: "Ni siquiera le pido ya que deje de beber, solo quiero que no se estampe con el coche. ¡Nada más! Creo que es razonable".

Por supuesto que lo es. Es una petición muy modesta. Pero mientras su marido beba y conduzca, lo más probable es que su deseo no se cumpla.

Suelo preguntarle a la gente qué desea, y la lista es a veces sorprendentemente larga. Luego les pido que imaginen su vida si no consiguen *ninguna* de esas cosas. Por supuesto, esa es la peor pesadilla de cualquier persona. Muchos se enfadan solo de oírlo.

A veces cuando terminan de enumerar lo primero que les viene a la cabeza, les pregunto qué es lo que desean en realidad.

Trata de imaginar qué pasaría si la vehemencia de tus deseos se esfumara. ¿Si tu vida siguiese igual pero tus anhelos se transformaran en simples añoranzas? Se acabaría la angustia por no conseguir algo que parece imprescindible y quedaría tan solo una ligera nostalgia por algo que no está allí.

Personalmente, lo que deseo es no desear. Cuando me llegue la hora, quiero estar donde estoy, sea bueno o malo. Sé que no lo conseguiré nunca, pero es a lo que aspiro.

Mi experiencia con las galletitas me enseñó algo. Cuando perdemos lo que anhelamos, el deseo vehemente se convierte en añoranza y luego en un dolor sordo. Ya no necesito caminar ni bailar, aunque sienta de vez en cuando ese dolor latente. No sé si les pasará igual a todos los humanos, pero he descubierto que si se aprende a vivir con la morriña, la serenidad aumenta.

Quizá es lo que Buda aprendió. El deseo es tan solo un síntoma de angustia, no una llamada a la acción.

La paz se alcanza cuando dejamos de luchar

Mis bacterias y mi mente están en plena actividad.

Lleguen donde lleguen las bacterias, mi urólogo es el encargado de vigilarlas, aunque dice que a causa de todos los años que llevo tomando antibióticos se han vuelto "más inteligentes". Qué gran paso evolutivo para las bacterias; es fascinante que ellas sean más inteligentes que mi vejiga y la mayoría de los medicamentos. Aunque el hecho pierde interés (y bastante rápido) si el humano de la vejiga eres tú.

Esas bacterias inteligentes me recuerdan un descubrimiento que hice hace muchos años, cuando empecé a estudiar el budismo. Al comenzar con la meditación descubrí cómo era mirar mi mente desde fuera en vez de vivir *dentro* de ella y dar por cierto todo lo que pensaba y sentía. Cuando apliqué esos conocimientos a mi trabajo clínico, vi que mis pacientes solían perderse en sus propias mentes y escuchaban sus voces críticas como si fuesen oráculos en vez de simples pensamientos.

Por igual motivo mucha gente que conozco siente emociones incómodas como la ansiedad, la inseguridad o la soledad, y trabajan con ahínco para aplacarlas. Elucubran sobre las causas y echan la culpa de su malestar a una persona o una situación. Se agarran a lo que pueden para intentar librarse de esos sentimientos dolorosos.

Observando a mis semejantes y a mi propio cerebro, me percato de que nuestras mentes nos llevan ventaja. Cuando nuestro crítico interno nos dice que no somos lo bastante buenos, nos esforzamos más para ver si se calla. Pero eso no funciona: al escucharlo de nuevo, sufrimos de nuevo. Ni funciona tampoco tratar de burlarlo o de drogarlo: siempre vuelve. Hagamos lo que hagamos, no podemos huir de nuestra mente.

Supón que vives con el demonio de la inseguridad (como la mayoría de nosotros), y tu reactiva mente se pone de inmediato a buscar seguridad para evitarse esa sensación desagradable. No consigue nada, porque no puede. Aunque lo intentemos con todas nuestras fuerzas el demonio siempre gana la partida: el mensaje sobre la inseguridad reaparece sin descanso.

Hasta la Biblia dice: "Encierra en la mente de un chivo todos los pecados del mundo y haz que el chivo desaparezca para siempre". De ahí viene lo de "chivo expiatorio". Tomemos todos los demonios, imbuyámoselos a un chivo y despachémoslos. Pero eso tampoco funcionará: el chivo vuelve, con sus cuernos y sus pezuñas hendidas. La verdad es que no podemos escapar de nuestros demonios.

Y aquí sigo. Tengo una mente más lista que yo, bien surtida de espantosos seres que pueden despertarme en plena noche para recordarme la colección completa de posibles problemas a los que deberé enfrentarme en la vida. Y ahora, por si fuera poco, crío bacterias más inteligentes que mis médicos. A veces me angustia mucho lo que me está pasando, y otras siento que mi vida se acaba. Cuando me ocurre, mi reacción instintiva es contestar correos electrónicos o devolver las llamadas de teléfono o ver una película o…

Pero si puedo *sentarme* con el miedo, aunque me pongo muy triste al recodar que mi vida, como todo lo precioso, es temporal, siento que esa tristeza es más real y más verdadera que la angustia. Se debe a que la ansiedad, por incómoda que sea, me ayuda a no sentir lo que realmente siento. Pero al sentirme triste, me siento más vivo, más afectuoso y más compasivo. En esas ocasiones experimento de verdad mi vida sin calificarla de buena o mala, de fácil o difícil. Si puedo limitarme a experimentarla en toda su fragilidad, todo parece más rico. Experimento el placer de la compañía si estoy con alguien; al mirar por la ventana o salir al patio, experimento la viveza de los colores en los árboles, en la hierba, en las hojas, en el cielo. Siento amor por la mayoría de la gente, percibo la vida misma, percibo cada aliento. Hasta siento gratitud y compasión por mi propia vejiga, que lleva décadas trabajando sin parar. Cuando vivo esas emociones, vivo la vida en toda su plenitud, instante a instante.

A veces cuando me pregunto cuánto tiempo me quedará, pienso en otro de los alumnos del curso de meditación, una enferma terminal. La meditación exige un largo proceso de aprendizaje que lleva años, así que un día le pregunté por qué empezaba si no disponía de tiempo.

Ella dijo: "Toda mi vida, estuviera donde estuviese, estaba en otro lugar. En lo que me queda, quiero estar donde estoy".

Yo también.

El undécimo mandamiento

En *La loca historia del mundo*, película de Mel Brooks, el director interpreta entre otros a Moisés. Tras su encuentro con Dios, Mel/Moisés baja del monte Sinaí con tres tablas, pero al ver a los israelitas allí reunidos alza las tablas y proclama:

–¡Dios nos ha dado *Quince*…! –momento en el cual tropieza y deja caer una–. No, más bien diez. ¡Dios nos ha dado *Diez* Mandamientos!

Desde que vi la película me he preguntado qué habría en esa tabla. Tengo una teoría: El Undécimo Mandamiento era: "¡No te tomarás tan en serio!".

Necesitamos ese mandamiento porque tomarse demasiado en serio es una de las pegas de los humanos. Creemos que nuestros problemas son más importantes que los de los demás. Creemos que si ansiamos algo en la vida, nuestra ansia es más ansiosa que la de los otros.

Se ha escrito que Buda dijo: "Si mis enseñanzas pudieran resumirse en una, sería esta: renegad de todo aquello que empiece por *yo, mi* o *el mío*". Esto es algo que se nos da bastante mal, por supuesto, porque tendemos a tomarnos muy en serio.

Veamos lo de "mi".

Este es mi libro. Estas son *mis* ideas. Solo que… ¡es mentira! ¡Estas no son mis ideas! Son ideas que me han impactado en algún momento, y algunas se han quedado conmigo. ¿Por qué se quedaron? ¿Por mi discapacidad para aprender? ¿Por mi experiencia vital? ¿Por el amor que me han dado y el amor que he perdido? Los entresijos de mi mente no son asunto mío; esa es la ventaja de tener una mente que ve el mundo como lo ve.

Así que aquí estoy, con estas ideas que no vienen de mí sino *a través de* mí. Y si te han influido de algún modo, es que tú y yo somos los receptores de una especie de bendición que nos ha permitido conectar con el otro. No soy un maestro; no eres un alumno. Si lo que ha pasado a través de mí te beneficia en algún sentido, no significa que yo sea más listo. Significa que tenemos la suerte de haber establecido una conexión que compendia todo lo que ha pasado por tu mente y lo que pasa por la mía.

La verdad es que deberíamos vivir siendo conscientes de que no importamos nada como individuos. Y –sí, he dicho "y"– todo lo que decimos y hacemos cuenta. No hay pronombre personal en lo-que-somos; lo importante es lo que hacemos.

Hace algún tiempo di una charla en una iglesia presbiteriana. De repente el micrófono se quedó mudo y el pastor subió al estrado para arreglarlo. Mientras bromeábamos, él dijo:

–Ay, Dios, no dejes que pase esto. ¡Aquí no, ahora no!

–En fin, no sé si *su* Dios estará disponible –respondí.

Al oír las risitas de los asistentes más cercanos, consideré que me daban permiso para desarrollar mi idea. Cuando el sistema de sonido volvió a funcionar, continué:

—Pues sí, hace nada le pedí a mí Dios que me ayudara con una cosilla, y Él me contestó: "¡Déjame en paz, Gottlieb! ¡Te he dado las herramientas necesarias para que te resuelvas tus problemas! ¡Estoy ocupado! Es otoño; tengo que cambiar las hojas de color y tengo que tirarlas a tiempo. ¡No me des la lata!".

El público se rio y yo también. Pero cuando reflexioné sobre lo dicho, me di cuenta de lo siguiente: mis problemas no tienen la menor importancia en el universo. Y quizá sería mucho más feliz si prestara más atención a la obra divina que a mis preocupaciones. Por eso creo que si Mel Brooks hubiera escrito los *Cinco Mandamientos* que faltaban, la vida sería mucho más divertida... y más cómica.

LA VIDA:
BUENAS Y MALAS NOTICIAS

Pues aquí estamos con vida, y ha resultado ser un mal chiste. Es como el chascarrillo que empieza: "Tengo dos noticias: una buena y otra mala".

Al nacer, la buena noticia es que, a pesar de los pesares, dispondremos de una vida. La mala es que probablemente nos eduquen unos padres que fingen saber cómo educarnos.

¿Buenas noticias? Muchos encontraremos amor y seguridad en el hogar en que crezcamos. ¿Malas noticias? Casi la mitad pasaremos por el divorcio de nuestros padres y viviremos separados del padre (muchos pasan por esto dos veces).

Y todo igual durante toda la vida. Todo trae buenas y malas noticias: la adolescencia, la sexualidad, el matrimonio, los hijos y el envejecimiento. Incluso traumas como mi accidente implican cosas buenas y malas. Lo paso mal, a veces me siento frustrado y otras deprimido, pero también hay buenas noticias.

¿Las buenas noticias de ser tetrapléjico?

Bueno, en primer lugar algo obvio: plazas de aparcamiento estupendas.

Después, los zapatos. No me dejo un pastón en comprármelos cómodos y me duran hasta que me aburro.

Pero lo mejor de la tetraplejia es que no necesito levantarme en plena noche para hacer pis. Así que, en plena noche de esta noche, cuando tú estés de pie o sentada, yo estaré durmiendo (¡y luego dicen que tengo necesidades especiales!).

Hablando más en serio, la invalidez me ha ayudado a convertirme en quien soy. Durante treinta años he tenido la impresión de que al romperme el cuello mi alma empezó a respirar. Gracias a mi diferencia, no me ha intimidado mi necesidad de ser como los otros. Sin ese trauma, no hubiera llegado a ser el hombre que soy.

Hace varios años un joven y su madre vinieron a consultarme. Él contaba diecisiete años, era asombrosamente apuesto y llevaba tres meses tetrapléjico. Como era de esperar, parecía aterrado, confundido y deprimido, y su madre igual.

Me enfrento a menudo a casos similares, por lo que supuse que buscaban orientación. Necesitaban sentir que no estaba todo perdido.

La consulta fue bien. Los tres hablamos un rato sobre sus preocupaciones y sus miedos, y sobre temas técnicos (cambio de catéter, manejo de aguas mayores, reparaciones de la silla de ruedas...). Después el joven y yo hablamos en privado. Él y su novia habían roto poco después del accidente, y él se preguntaba qué iba a pasar con la sexualidad. Yo le dije que podíamos hacer el amor con los ojos, con la voz, con los dedos, con la boca. El sexo no era tan bueno como antes, pero seguía siendo maravilloso. Le conté que a veces me sentía muy cerca del orgasmo cuando mi pareja tenía uno.

Después de esta conversación, su madre volvió y yo les enseñé mi casa. Les mostré el funcionamiento del baño y del dormitorio, donde se quedaban mis enfermeras –de modo que yo dispusiera de una línea divisoria que me proporcionara cierta intimidad– y cómo me hacía la comida. Después vieron la furgoneta que conduzco solo. Los ojos del chico se iluminaron.

Al acabar la sesión, ambos parecían sentirse mucho mejor que al principio. Cuando me dieron las gracias sonreían, porque albergaban esperanzas de que en su vida futura habría al menos felicidad potencial. Y yo también sonreí, porque me satisfacía haberles dado lo que necesitaban.

Luego, cuando salieron de mi consulta y la puerta se cerró, me eché a llorar. Lloré por el sufrimiento que aquel hermoso joven debería soportar. Lloré por los años de frustración y soledad que le esperaban. Lloré por todos los anhelos que le asaltarían y que jamás podría satisfacer. Lloré por él, lloré por mí, lloré por todos nosotros.

¿Le mentía al no hablarle de esos sentimientos? Creo que no. Ni siquiera era consciente de ellos cuando su madre y él estaban conmigo. Y todo lo que sí les dije era verdad. Mi vida es buena y preciosa. La amo casi en su totalidad. Siento más gratitud, más admiración y más amor que la mayoría de los humanos que conozco. Mi vida es una bendición.

Aún así sufro, y a veces me desespero.

꙰

Hasta en la muerte hay buenas y malas noticias; he tratado a mucha gente que ha perdido un padre o una madre con los que tenía una relación complicada.

Hace poco trabajé con un hombre cuyo padre, alcohólico, era tiránico y violento con la familia. Al hacerse mayor, mi paciente trató de arreglar cuentas con él, pero tuvo poco éxito: llevaba el miedo y el resentimiento en la sangre. Después, cuando el padre murió, el hijo sintió alivio pero también perdió la esperanza de entenderse con el padre que siempre había echado en falta.

Cuando murió mi madre, mi padre sufrió terriblemente. No podía dormir, se sentía culpable y pensaba en ella a todas horas. Después de un tiempo se percató de que el sufrimiento disminuía y de que a veces no pensaba en ella. Y se sintió culpable por no sufrir. Vida, muerte, buenas noticias, malas noticias.

Al envejecer yo y empezar a hartarse mi tracto urinario, siento que estoy viviendo el último capítulo de mi vida (aunque espero que sea muy largo). Así que cuando pienso en mi muerte, veo buenas y malas noticias. ¿Las malas? No podré abrazar más a mis hijas ni a mi nieto. No podré seguir amando a la gente y las cosas que enriquecen tanto mi vida. ¿Las buenas? Se acabaron las sillas de ruedas, los catéteres, los medicamentos y demás. Ya no tendré que mirar cómo baila la gente fingiendo que no me importa no poder hacerlo.

Hay un dicho de yoga: "Sentir es vivir. Explicar es mentir".

Cuando experimento plenamente la vida, siento mi sufrimiento y mis penurias y siento el lento pero continuo deterioro de mi cuerpo. Pero también aprecio los tesoros de la vida que disfruto día a día. En esas ocasiones en que recibo el beso de la muerte en una mejilla y el de la vida en la otra, estoy totalmente despierto, totalmente vivo, y siento desesperación, futilidad, sufrimiento, amor, gratitud, admiración y asombro.

Sé que lo que ocurre en mi mente, mi cuerpo y mi alma es exactamente igual que lo que les pasa a otros humanos. Y eso conlleva buenas y malas noticias.

Pero, a pesar de que la muerte también las conlleve, he encargado a uno de mis amigos que diga lo siguiente en mi funeral: "Dan está muy cabreado por ser, de entre todos los presentes, quien ocupa el ataúd".

REFLEXIONES FINALES

Hace poco entablé conversación en mi consulta con una chica de trece años llamada Charlotte. Sus ojos azules, su gran corazón y su cálida sonrisa no hablaban de su dolorosa historia de pérdida y abandono.

Como solía ocurrir en nuestras visitas, esta empezó con sus observaciones sobre mi despacho y su inquietud por los múltiples libros y papeles que abarrotaban mi escritorio. Cuando le dije que estaba escribiendo un libro, le entró mucha curiosidad y me preguntó de qué trataba. En cuanto le dije que trataba sobre lo que significa ser humano, se me ocurrió que ella sabría bastante sobre el tema porque, en su corta vida, había visto lo mejor y lo peor de la humanidad.

Su madre murió cuando contaba tres años. Su padre no estaba preparado para cuidar de ella y de su hermana, por lo que un familiar se quedó con la custodia.

La muerte de la madre fue solo el principio. La intensa pena y el miedo de la niña complicaban mucho las cosas, así que al empezar el colegio tuvo problemas de adaptación. Para ella fue un desafío confiar en que las figuras parentales no la abandonarían. Esa niña de corazón dulce y generoso, de espíritu herido, tuvo que imaginarse cómo navegar sola por esa cosa llamada vida.

La conocí hace unos años y, desde entonces, le he proporcionado una atención constante y ella me ha proporcionado grandes conocimientos sobre la flexibilidad de los niños frente a la tragedia. Por eso cuando le describí el tema de este libro, pensé que quizá pudiera darme alguna idea para resumir un tema que tal vez no pueda resumirse.

–Entonces, Charlotte, ¿qué significa para ti ser humana? –pregunté.

–No sé, quizá nada.

Por su respuesta, me di cuenta de que la pregunta era demasiado grande y demasiado abstracta, y de que ella trataba de esquivarla. Lo intenté de nuevo.

–Vale, entonces, ¿cómo es ser tú?

–A veces es muy duro. En todos los sitios soy la única sin madre y la única que no vive con ninguno de sus padres.

–¿Y cómo es?

–Bueno, cuando me pasa me siento muy sola y distinta de los demás niños. Me entra un poco de miedo y me pongo triste. Creo que nadie me entiende. A veces no me gusto, porque cuando me entra mucho miedo, a veces me enfado. Y luego, cuando me tranquilizo, detesto lo que he hecho.

–Es decir, que a veces estás asustada y te sientes insegura. Y a veces tus emociones son tan intensas que harías casi cualquier cosa para acallarlas –resumí.

–Sí –convino ella–, y a veces ni siquiera pienso en esas cosas y soy feliz. Soy feliz cuando veo *American Idol* con mi tía, cuando me va bien en el colegio, o cuando mi tío me lleva al béisbol. Ahora soy feliz la mayor parte del tiempo.

Tras una pequeña pausa añadió:

–Pero cuando pienso en mi madre me pongo muy triste.

–A veces te sientes asustada y abandonada –repetí–, y otras te asustan tus propias emociones. A veces te odias porque no eres tan buena como crees que deberías ser, y otras te limitas a disfrutar de la vida y a amar a quienes te aman.

Mi nieto Sam es autista y tiene unos seis años menos que Charlotte, así que no puedo hablar con él como con la chica. A causa del autismo, el funcionamiento de su cerebro es algo distinto al de la mayoría, y le dota de una intuición especial para saber lo que significa ser humano.

Cuando mi nieto recibe demasiada estimulación sufre "accidentes nucleares". De pequeñito se daba cabezazos contra la pared. Con terapia, tales episodios se volvieron menos peligrosos y más previsibles. En una visita reciente, Sam sufrió uno de sus ataques. Vi que se le aceleraba la respiración y se le enrojecía la cara. Luego se puso rígido y arremetió contra sí mismo y los demás, insistiendo en que lo dejáramos en paz, hasta que se derrumbó en el suelo, sollozando. Minutos después, tras permitir a mi hija que lo acunara en su regazo, Sam levantó la mirada y dijo:

–Mami, es que me iba todo muy rápido en la cabeza.

Eso es más de lo que yo pueda decir. Nosotros no podemos porque no sentimos el dolor de Sam. Pero está allí, igual que la ansiedad de la gente que me visitaba en el hospital. Ellos no la sentían, pero estaba allí.

Nosotros vamos por la vida a la velocidad de la luz sin sentir el dolor que siente nuestra mente o nuestro cuerpo. Pero Sam sí lo siente.

Vamos por la vida bregando con el abandono, la inseguridad y el empeño en juzgarnos sin sentir la vulnerabilidad que acompaña a esas emociones. Pero Charlotte sí lo siente.

Vamos por la vida sabiendo en el fondo de nuestro corazón que un día moriremos y que ese día llegará antes de lo deseado, pero nuestro cerebro no se lo cree. Y nuestro corazón sabe lo preciosa que es la vida, pero casi ninguno lo sentimos. Yo sí.

Entonces ¿qué significa ser humano? Debes decidir por ti mismo, pero mi recomendación es la siguiente:

Cuando mires a uno de tus semejantes, fíjate en el ligero rehundido que tiene sobre los labios (la huella de Dios, lo mismo que tú).

Después míralo a los ojos. Hallarás un ser tierno y vulnerable que busca felicidad, seguridad y amor. Hallarás a alguien capaz de dar una compasión inmensa y generosa, y a alguien capaz de ser terriblemente egocéntrico. Hallarás a alguien que ha sido herido y que, a su vez, ha herido a otros. Verás un hipócrita, un niño, un huérfano, un luchador y un héroe; y si le miras profundamente a los ojos, verás su alma. Y entonces descubrirás lo que siempre has sabido de ti mismo.

EPÍLOGO

Después de los funerales oigo comentar que ojalá el difunto hubiera escuchado en vida los bellos panegíricos. En consecuencia, animo a la gente a despedirse de quienes aman, pues quizá no tengan otra ocasión de hacerlo. Diles lo que significan para ti, lo que te hacen sentir y lo que desearías para ellos si no volvieses a verlos.

Dada mi filosofía, mi edad y mi salud, he escrito este libro como si fuese el último. Te he contado relatos y creencias como si mis historias acabaran con él. A veces mi neurótica mente se inmiscuye en el proceso: ¿Me habré explicado bien? ¿He mencionado tal o cual historia? Si esta es mi última oportunidad, ¿habré dejado claro mi mensaje? Pero solo es mi cerebro tratando de aferrarse a un legado, esperando que el adiós no sea definitivo.

Se lo he dicho a muchas personas: mi cuerpo está roto y mi mente es una neurótica, pero mi alma está en paz. Por mucho que trate de evitarlo, a veces vivo en mi mente. Ahora vivo en mi alma. Desde aquí siento una gran humildad y una enorme gratitud. Te agradezco inmensamente que hayas leído mis palabras. Para mí es un honor que hayas dejado al pequeño Danny Gottlieb de Atlantic City abrir su corazón y su mente para compartirlos contigo. Te doy las gracias por tu confianza, tu tiempo y tu conexión.

Epílogo

En este momento, nuestro último momento, me siento conmovido. Siento amor.

Ojalá tú sientas lo mismo.

El amor después del amor
de Derek Walcott

*Llegará un tiempo
en que, con júbilo,
te darás la bienvenida
en tu propia puerta, en tu propio espejo,
y los dos sonreiréis al saludaros*

*y diréis, siéntate. Come.
Amarás de nuevo al extraño que eras.
Dale vino. Dale pan. Devuelve tu corazón
al extraño que te ha amado*

*toda la vida, al que has ignorado
por otro, a quien te conoce de verdad.
Quita de la estantería las cartas de amor,*

*las fotos, las notas desesperadas;
arranca tu imagen del espejo.
Siéntate. Date un festín de vida.*